ズッコケ文庫・Z-28

参上！ ズッコケ忍者軍団

作・那須正幹　原画・前川かずお
作画・高橋信也

もくじ

作家・那須正幹（なす　まさもと）
一九四二年、広島県に生まれる。島根農科大学林学科卒業。著作に、圧倒的な人気を誇るズッコケ三人組シリーズ、りぼんちゃんシリーズ、お江戸の百太郎シリーズ（日本児童文学者協会賞受賞）、「折り鶴の子どもたち」、「ねんどの神さま」、「さぎ師たちの空」（路傍の石文学賞受賞）、「ぼくらの地図旅行」（絵本にっぽん賞受賞）など多数。

原画・前川かずお（まえかわ　かずお）
一九三九年、大阪に生まれる。第十一回小学館児童漫画賞受賞。漫画、絵本、さし絵の世界で活躍。さし絵に、那須氏とコンビによるズッコケ三人組シリーズ、絵本に「くものぴかごろう」「おにがわら」「ほしのこピコまちにくる」「おやこおばけ」「絵巻えほん川」うさぎのとっぴんシリーズ、「おばあさんなんでも相談所」などがある。
一九九三年一月十三日没、享年五十五歳。

作画・高橋信也（たかはし　しんや）
一九四三年、東京に生まれる。東映動画に入社し、アニメーション映画の制作にたずさわる。現在、フリーのイラストレーターとして、絵本、さし絵に取り組む。作品に、アニメむかしむかし絵本シリーズなど。

参《さん》上《じょう》！ズッコケ忍《にん》者《じゃ》軍《ぐん》団《だん》

那須正幹・作
前川かずお・原画
高橋信也・作画

一、ドラゴン部隊《ぶたい》

1

夏休みの子どもの遊《あそ》びといえば、一に水泳、二に花火、三に虫捕《むしと》りというのが昔《むかし》からのビッグスリーだが、最近《さいきん》ではいくぶん事情《じじょう》がかわってきた。

一の水泳は不動《ふどう》にしても、二か三に、コンピュータゲームやアニメ鑑賞《かんしょう》がはいってきそうな情況《じょうきょう》である。とはいえ、夕涼《ゆうすず》みがてら、庭《にわ》やあき地でやる花火や、暑い日《ひ》ざしのもとで、セミやキリギリスを追っかける子どものすがたは、夏休みならではの風《ふう》景《けい》にちがいない。まちがっても、木枯《こが》らしの吹《ふ》きすさぶ夜に線香花火《せんこうはなび》を楽しんだり、紅葉《こうよう》の山にアブラゼミをつかまえにいく子はいないはずだ。

瀬戸内海《せとないかい》に面《めん》したミドリ市花山《はなやま》町の子どもたちも、夏休みになると、毎日、学校のプールに出かけたり、家の庭さきで花火をしたり、町の背後《はいご》にひろがる山や、町内の

公園で虫捕《むしと》りをしてあそぶようになる。

花山町《はなやま》かいわいで採集《さいしゅう》できる虫のうち、もっともポピュラーなのはアブラゼミだろう。羽が茶色なのが特徴《とくちょう》で、樹木《じゅもく》のあるところならどこにでもいるし、ジー、ジーと、うるさいくらいの鳴き声をたててくれるから、低学年の子でも、かんたんに見つけることができる。

つぎにおおいのがニイニイゼミという小型《こがた》のセミで、このセミは、ちょっとした林に足をのばせば、それこそつくだ煮《に》ができるほど捕れる。子どもの背《せ》たけより低いところにでもとまるから、虫捕りあみをつかわなくてもつかまえることができる。

クマゼミは、日本のセミのなかでいちばん大型《おおがた》のセミで、名前のとおり、からだがまっ黒だ。

ガーシ、ガーシと、迫力《はくりょく》のある鳴き声をたてるので、すぐにそれとわかるけれど、花山町かいわいでは、ちょっとめずらしく、こいつをつかまえた子は、友だちにじまんできる。

花山町は、ミドリ市のいちばん西に位置《いち》していて、上町《うえ》のあたりには、わずかながらも田んぼや畑ものこっているから、キリギリスや、このところめっきりすくなくなってはいるものの、ヤンマやチョウチョもとんでいる。

しかし、夏の子どもたちが目の色をかえる虫といえば、なんといってもカブトムシ、それにクワガタだろう。

大都会《だいとかい》の子どもは、カブトムシやクワガタムシは、デパートで採集《さいしゅう》するものと思っているようだが、どうしてどうして、花山町《はなやま》には、いまだ値札《ねふだ》のついていない天然《てんねん》もののカブトやクワガタが、うじゃうじゃいるところがあるのだ。

しかも、その場所を知っている者は、花山第《だい》二小学校の、あるかぎられた子どもたちなのである。

いったいだれが、その場所を見つけたのかは、定《さだ》かでない。おそらく、何十年前の先輩《せんぱい》のだれかがその場所を発見し、ひそかに後輩《こうはい》につたえたのだろう。その後輩も、年下《としした》の子どもに、

「おい、だれにもおしえるなよ。」

と口どめして、その場所に案内したにちがいない。こうして花山町のカブトとクワガ

夕の採集地《さいしゅうち》は、歴代《れきだい》の花山第《はなやまだい》二小学校の子どもだけにつたえられてきたのだ。

その場所は、八幡谷《はちまんだに》という谷のおくにあった。三十本ばかりのクヌギの古木《こぼく》がはえていて、木の幹《みき》のあちこちから樹液《じゅえき》がしみだしている。この樹液のまわりに、カブトムシやノコギリクワガタ、それにヒラタクワガタといった、子どもたちが狂喜《きょうき》するような虫たちがむらがっているのである。

花山町は、大川《おおかわ》の西岸にそった町で、北から花山北《きた》町、花山中《なか》町、花山町、花山西《にし》町、それに花山町の山《やま》の手《て》にある花山上《うえ》町の五つの町にわかれていて、小学校は中町にある花山第一小学校と、花山町にある花山第二小学校の二校だ。

ところで例の八幡谷というのは、正式の名前ではない。中町と花山町のちょうどさかいめにある谷すじで、ふもとに花山神社《じんじゃ》という八幡さまがあることから、子どもたちがそう呼《よ》んでいるだけだ。

谷すじに一本の細い道があるけれど、人家《じんか》は一軒《けん》もない。いや、昔《むかし》は谷のおくに農《のう》家《か》が建っていたらしいが、今では、わずかに低い石垣《いしがき》がのこっているのと、谷間に田んぼのあとと見られる平地《へいち》があるだけだが、その平地も、雑草《ざっそう》のおいしげる原っぱになっていた。

ふもとの町から谷のおくまでは、おとなの足で三十分はかかるし、谷にはいる道も荒《あ》れているから、よほどのもの好《ず》きでないかぎり、はいりこんでみようとはしない。もっとも、そんな場所だからこそ、カブトムシやクワガタも、のんきに樹液《じゅえき》をなめていられるわけだ。

花山団地《はなやまだんち》の市営《しえい》アパートに住む、貝原勇介《かいばらゆうすけ》と松崎浩司《まつざきこうじ》という五年生の男の子が、うわさの八幡谷《はちまんだに》へでかけたのは、夏休みがはじまってまもない日のことだった。

このふたり、去年《きょねん》の夏休みに同じ市営アパートに住む、モーちゃんという先輩《せんぱい》にくっついて、はじめて八幡谷にいき、それぞれカブトムシのひとつがいと、でかいノコギリクワガタをつかまえたことがあるのだ。

そこで夢《ゆめ》よもういちどとばかり、夏休みを待ちかねて、八幡谷にくりこむことにしたというわけである。

市営アパートのある花山団地から八幡谷にいくには、団地のはずれにある山道をとおって花山神社《じんじゃ》までいき、そこからふたたび山道をたどって、谷の中《なか》ほどに出るのがいちばんの近道《ちかみち》だった。

「今年《ことし》は、ヒラタクワガタがほしいな。」

「ぼくは、カブトのでかいの二ひき。すもうさせたら、おもしろいんじゃないの。」

ふたりは、まだつかまえてもいない獲物《えもの》についてしゃべりながら、山道をたどっていった。お宮の境内《けいだい》までは道はばも広く、傾斜《けいしゃ》もゆるやかだが、お宮から谷までの道は、せまいうえに、夏草や雑木《ぞうき》の枝がじゃまして、あるきづらい。

やっとこささと山道をぬけて谷に出たときは、ふたりとも顔《かお》にクモの巣《す》をひっかけ、足はひっかき傷《きず》だらけになっていた。

それでも、元気よく、谷の中央《ちゅうおう》を流れる小川にそった道を、クヌギ林《ばやし》めざして、あるきだした。

道のさきに、低い石垣《いしがき》が見えてきた。石垣の上に大きな柿《かき》の木がたっている。

「あれ。」

貝原勇介《かいばらゆうすけ》が足をとめた。柿の木の下に、テントのようなあざやかな黄色いものが見えたからだ。

「だれか、キャンプしてるのかな。」

浩司《こうじ》も、それに気づいたらしい。

そのとたん、道の両側《りょうがわ》の草むらから、にゅっと人影《ひとかげ》があらわれた。

長そでのシャツに長ズボン、野球帽《やきゅうぼう》の下にスキーでつかうようなゴーグルをかけた、奇妙《きみょう》なかっこうの男の子たちが数人、ふたりのまわりをとりかこんだのである。しかもこの子たちは、そろって鉄砲《てっぽう》を持ち、その銃口《じゅうこう》をぴたりとふたりにむけているのだ。

勇介《ゆうすけ》も浩司も、一瞬《いっしゅん》あっけにとられていた。

と、いちばんさいごにあらわれた黒シャツの少年が、ゆっくりとふたりのまえにやってきた。この子は、肩《かた》にマシンガンをつるし、腰《こし》にはピストルをさしている。

「おまえたち、第《だい》二小の連中《れんちゅう》だな。なにしにきたんだ。」

黒シャツが、じろり、じろりとふたりの顔《かお》をながめた。

「なにしにって……。カブト捕《と》りにきたんだよ。なあ。」

勇介が浩司を見た。

「うそをつけ、基地《きち》をさぐりにきたんだろう。」

D
J

黒シャツは、ズボンのポケットからトランシーバーをとりだした。

「こちら、軍曹《ぐんそう》。ただいま侵入者《しんにゅうしゃ》二名《めい》、つかまえました。第《だい》二小のスパイではないかと思います。どうぞ。」

すると、トランシーバーから、

「こちら本部《ほんぶ》、軍曹に命令《めいれい》する。ただちに連行《れんこう》せよ。」

という声がもどってきた。

黒シャツは「了解《りょうかい》」とこたえると、まわりの子どもにむかって手で合図した。

「軍曹、捕《ほ》りょは、しばっちゃおうか。」

右手に立っている、小《こ》がらな子がいった。

「だいじょうぶだろう。そのかわり、逃《に》げだしたら、撃《う》ち殺《ころ》してもいいぞ。」

黒シャツは、とんでもないことをいう。

どうやら、この連中《れんちゅう》も小学生のようだが、かまえている銃《じゅう》は、プラスチックのBB《ビービー》弾《だん》がとびだすエアガンや、ガスガンらしいから、たとえ命中《めいちゅう》しても死ぬことはないだろうが、なんともきみが悪い。

ふたりは、武装《ぶそう》した子どもにとりまかれたまま、石垣《いしがき》の下まで連れていかれた。石垣の上には、黄色いテントが一張《はり》と、なにやら古代人《こだいじん》の竪穴式住居《たてあなしきじゅうきょ》をおもわせる草《くさ》ぶきの掘《ほ》ったて小屋《ごや》が二つならんでいた。テントのよこには竹ざおがたてられ、赤い龍《りゅう》の絵をかいた旗《はた》がひるがえっている。

ふたりが石垣の下に到着《とうちゃく》すると、まわりの草むらから、十人ほどの子どもが出現《しゅつげん》し、ふたりのまわりにあつまってきた。そのとき、テントのなかから、ほんものの兵隊《へいたい》のような迷彩服《めいさいふく》を着た少年があらわれた。

「隊長《たいちょう》、捕《ほ》りょ二名《めい》、連行《れんこう》してきました。」

黒シャツが、石垣の上の迷彩服にむかって敬礼《けいれい》する。迷彩服は、おもおもしくうなずくと、勇介《ゆうすけ》と浩司《こうじ》をながめまわした。

「おまえら、どこからきた。」

「どこって……。花山団地《はなやまだんち》だよ。」

浩司がこたえると、

「すると、第《だい》二小の子どもだな。」

こんどは、ふたりでうなずく。

「ここがドラゴン部隊《ぶたい》の秘密基地《ひみつきち》だってことは知ってたか。」

勇介《ゆうすけ》と浩司《こうじ》は、顔《かお》を見あわせた。

「知らないよ、そんなもの。ぼくら、カブト捕《と》りにきただけだもの。」

浩司がこたえたとたん、黒シャツがわめいた。

「隊長《たいちょう》、こいつら、うそついてるよ。こいつら、きっと、おれたちの基地をさぐりにきたスパイだと思うな。」

すると、まわりの連中《れんちゅう》も、

「そうだ、そうだ。」

「第《だい》二小の子が、さぐりにきたんだ。」

口ぐちにわめきはじめた。

「ちがうよ、ぼくら、スパイじゃないよ。」

むろん、勇介も浩司もひっしで反論《はんろん》した。あいては、同じ年《とし》ごろの子どもとはいえ、

なにやら異様《いよう》なふんいきの連中《れんちゅう》だ。

「わかった。みんな静かに。」

迷彩服《めいさいふく》の声で、ようやくあたりがおさまった。迷彩服は、ちょっと考えるようにうつむいたが、やがて顔《かお》をあげた。

「ようし、おまえたちは釈放《しゃくほう》することにするから、かってに逃《に》げてよし。ただし、百かぞえたら、ドラゴン部隊《ぶたい》が追跡《ついせき》する。いいな。百だぞ。」

迷彩服の少年はそういって、腰《こし》の拳銃《けんじゅう》をひきぬくと、ポケットからガスボンベをとりだしてガスを注入《ちゅうにゅう》しはじめた。

2

「それで、どうなったの。」

どこもかしこもまんまるな少年が、貝原勇介《かいばらゆうすけ》と松崎浩司《まつざきこうじ》の顔を見くらべる。

よく朝《あさ》の花山団地《はなやまだんち》の広場《ひろば》だった。夏休み恒例《こうれい》の朝のラジオ体操《たいそう》が、今おわったところだ。

「それがさあ。ひどいめにあっちゃったよ。ぼくも浩《こう》ちゃんも、いっしょうけんめい逃《に》げたんだけどね。あいつら、エアガン持ってるんだもの。」

「マシンガンがすごかったねえ。ピュン、ピュン、弾《たま》がとんでくるんだ。ぼく、四発《はつ》くらいせなかにあたってね、ゆうべ鏡《かがみ》で見たら、あたったところ青くなってた。」

浩司《こうじ》が、まゆをしかめる。

「ぼくなんか、ほら、血《ち》がでたんだよ。」

勇介《ゆうすけ》が左手を、まんまる少年のまえにつきだした。ひじの上のあたりに、ぽっちり赤いあざができていた。

「いたかったろう。」

まんまる少年が、さも、わがことのように顔《かお》をしかめた。

「そのときは、あんまり……。でもこわかったなあ。二十人くらいが、わあって、追いかけてくるんだものねえ。あれ、第《だい》一小のやつらかなあ。」

「隊長《たいちょう》ってのは、中学生じゃないの。すごいんだよ。ほんものの兵隊《へいたい》みたいな服きて、くつだって、登山ぐつみたいなごついのはいてさ。」

「あの子たち、いつも、あの谷でコンバットごっこやってるんじゃないの。」

「モーちゃん、きいたことない。ドラゴン部隊《ぶたい》って？」

モーちゃんと呼《よ》ばれたまんまる少年は、首をかしげた。

「さあ……。去年《きょねん》、花山中学《はなやま》の子がエアガンであそんでたのは知ってるけど。あれが、第《だい》一小の子どもたちにも流行《りゅうこう》してるのかもね。」

「あああ、あんな連中《れんちゅう》がいるんじゃあ、当分《とうぶん》、カブトなんて捕《と》りにいけないなあ。」

勇介《ゆうすけ》がため息《いき》をついたとき、三人のうしろで声がした。

「きみたち、はんこ、まだだろ。」

らっきょうにめがねをかけさせたような、やせっぽちの少年が、小さなはんこをにぎって立っている。

「あ、ごめん、ごめん。」

モーちゃんが、首にぶらさげていたカードをめがね少年のまえにだす。

「体操《たいそう》がおわったら、すぐにならんでくれなきゃあ。班長《はんちょう》の身にもなってくれよ。」

めがね少年は、文句《もんく》をいいつつ、三人の出席カードにはんこをおしていった。

「ハカセちゃん。ハカセちゃんは、中町《なか》のドラゴン部隊《ぶたい》って知ってる?」

モーちゃんの質問《しつもん》に、めがね少年も首をかしげた。

「ドラゴン部隊? なに、それ。」

「第《だい》一小の子どもや中学生がね、エアガンやガスガンで、コンバットごっこしてるんだってさ。そいで、ドラゴン部隊ってのをつくって、八幡谷《はちまんだに》に基地《きち》があるんだって。」

「八幡谷は、たしか花山《はなやま》町のはずだよ。どうして校区外《こうくがい》の子が、基地つくるの。」

「さあ、どうしてかなあ。」

「ねえ、ねえ。ハカセちゃん、八幡谷が花山町だってこと、ほんと?」

松崎浩司《まつざきこうじ》が目をかがやかせる。

「地図でたしかめないと、はっきりとはいえないけどね。八幡さまの境内《けいだい》は中町にはいるけど。たしかに八幡谷までが花山町一丁目《ちょうめ》になってたと思うなあ。」

「へえ、じゃあ、あの子たちのほうが侵入《しんにゅう》してるのか。」

「だったら、こんど会ったときに文句《もんく》いってやろうよ。」

ふたりの五年生が、きゅうに元気づいた。

「ねえ、ねえ、いったい、なんの話？」

めがねのハカセが、モーちゃんの顔《かお》を見る。

「この子たち、きのう八幡谷《はちまんだに》にカブト捕《と》りにいったんだって。そしたら、エアガン持った連中《れんちゅう》につかまってね。そいで、逃《に》げるところをみんなから撃《う》たれたんだって。浩《こう》ちゃんも勇介《ゆうすけ》ちゃんも、けがしてるんだ。」

「あぶないなあ。エアガンをひとにむけて撃つなんて。目にあたったら、失明《しつめい》の危険性《きけんせい》もあるんだよ。」

「あの子たちはゴーグルしてたよ。それから、長そでのシャツ着てた。」

「でも、きみたちは、ふつうのかっこうしてたんだろ。それに抵抗《ていこう》したわけでもない。」

「あ、そうだ。ぼくらのこと、スパイだって。」

「スパイ……？」

「秘密基地《ひみつきち》のこと、さぐりにきたんだろうって。」

「ねえ、ねえ。その秘密基地って、どんなの。地下室かなにかがあるのかい。」

モーちゃんが、浩司《こうじ》の顔をのぞきこむ。

「さあ……。テントと小屋があったよ。それから、旗《はた》もたってた。なあ。」

浩司が勇介《ゆうすけ》をふりかえる。

「テントに小屋か。すると、たまたま八幡谷《はちまんだに》であそんでたわけじゃないね。その子たち、ずっとまえから、あの谷を占領《せんりょう》してたのかもしれないなあ。」

めがねのハカセが、細い腕《うで》を組んだ。

「これは、ちょっと問題《もんだい》だよ。あそこの谷は、とくべつの谷だもの。花山町《はなやま》でカブトやクワガタがいるのは、あそこだけだからね。」

この少年も、谷の秘密は知っているらしい。

「とにかく家に帰って、地図を見てみるよ。もしあそこが花山町一丁目《ちょうめ》なら、その子たちに抗議《こうぎ》しよう。」

「ハカセちゃん、あっちは二十人くらいいるんだよ。それに中学生もいるし……。」

勇介が、ちょっと不安《ふあん》げな声でいった。

「でも、ほっといたら犠牲者《ぎせいしゃ》がつぎつぎ出るんじゃないの。」

「そうだね。やられたの、ぼくらだけじゃないかも。」

「みんなで、第《だい》一小の連中《れんちゅう》を追いだしちゃえばいい。」

「こっちもエアガンで武装《ぶそう》しようよ。そいで基地《きち》を攻撃《こうげき》しようや。」

五年生の両名は、おおいにふるいたっている。

これを見れば、戦争《せんそう》というものが、いかにささいな事件《じけん》から起こるかがよくわかるであろう。

もっとも、ハカセと呼《よ》ばれためがねの少年は、いまだそこまでは考えていなかった。まずは八幡谷《はちまんだに》が、花山第《はなやまだい》一小学校、第二小学校、いずれの校区《こうく》に属《ぞく》するかをしらべ、しかるのちに、八幡谷を占居《せんきょ》しているドラゴン部隊《ぶたい》なる連中に抗議《こうぎ》して、彼らを退去《たいきょ》させるか、すくなくとも、カブトムシを捕《と》りにいく子どもたちの安全を確保《かくほ》するという、いわば話し合いによる外交手段《がいこうしゅだん》を念頭《ねんとう》にしていたのであった。

ハカセの本名《ほんみょう》は、山中正太郎《やまなかしょうたろう》。花山第二小学校の六年生だ。モーちゃんこと奥田三《おくださん》吉《きち》も、同じ六年一組のクラスメイトである。

ふたりとも、同じ花山団地《はなやまだんち》の市営《しえい》アパートに住んでいるから、ふだんから仲《なか》もよい。

もっとも、なにかにつけて理《り》くつをこねるハカセと仲よくつきあえるというのは、モーちゃんの人《ひと》がらの良さだろう。しょうしょうのんびりしすぎたところはあるものの、モーちゃんは無類《むるい》の好人物《こうじんぶつ》で、だれとでもおりあいがいいのだ。

さて、市営《しえい》アパートの家にもどったハカセは、朝食《ちょうしょく》もそこそこにミドリ市の地図をひっぱりだすと、八幡谷《はちまんだに》が花山中町《はなやまなか》、花山町一丁目《ちょうめ》のいずれに属《ぞく》しているかしらべてみた。

なんと、八幡谷の中心が町のさかいめになっているのだ。つまり谷の右半分は中町、左半分は花山町一丁目ということになるわけである。もっとも、この谷には人家《じんか》もないし、同じミドリ市内なのだから、花山町だろうと、花山中町だろうと問題《もんだい》はないが、今のハカセには、これで抗議《こうぎ》の理由《りゆう》がひとつなくなってしまったことになる。

五年生の話では、基地《きち》は昔《むかし》の農家《のうか》のあとにつくられているという。ハカセの記憶《きおく》では、農家のあとの石垣《いしがき》は、谷の右手の山のふもとにあった。ということは、そこは中町であり、したがって花山第一小学校《はなやまだい》の校区《こうく》ということだ。

ただし……。カブトムシのいるクヌギ林《ばやし》は、谷のどんづまりの、やや左側《ひだりがわ》にあった。

だから第二小学校の子が、カブトやクワガタを捕《と》りに出かけるのを、なにびとも妨《ぼう》害《がい》できないはずだ。いわんやエアガンを乱射《らんしゃ》して追いちらすなど、もってのほかである。

ハカセが、結論《けつろん》をくだしたとき、

「おはよう……」

あくびまじりの声がきこえた。ダイニングキッチンの入り口に、パジャマすがたの女の子がつったっている。妹の道子《みちこ》だった。

「おまえ、きょうもラジオ体操《たいそう》さぼったな。」

「ごめん……。きょうは起きるつもりだったんだけど……」

「つもりだけじゃだめだよ。兄ちゃんなんて、六時前に、ちゃんと家を出たんだぞ。」

「そりゃあ兄ちゃんは、班長《はんちょう》さんだもの。あたしも班長さんになったら、ちゃんと起きる。」

「へっ、おまえなんて、班長になれるもんか。」

「わかんないわよ。四年生は、あたしとマキちゃんと、それから翼《つばさ》くんだもの。翼くんは、たよりないし……」

この子も、兄貴《あにき》におとらず口は悪いようだ。

「翼くんて、六棟《とう》の子だろ。中村翼《なかむらつばさ》……」

「そう、男の子のくせに、からっきしいくじないの。こないだも第《だい》一小の子に鉄砲《てっぽう》で撃《う》たれて、泣《な》いてたわ。」

「鉄砲で?」

「おもちゃの鉄砲よ。ほら、まるいプラスチックの弾《たま》の出る。」

「エアガンだな。どこで撃たれたんだ。」

「中《なか》町のお宮であそんでたらね、鉄砲を持った子が五人ばかり山のほうから走ってきたの。そしたら、また五人くらい走ってきて、お宮の境内《けいだい》で、撃《う》ち合《あ》いはじめてね。弾があたった子が、バタって、たおれたの。そのかっこうがおかしくて、翼《つばさ》くんが、バカみたいってわらったら、たおれた子が怒《おこ》っちゃってさ。翼くんのこと、鉄砲で撃ったの。ここんとこにあたって、そいで、翼くん、わあわあ泣いたのよ。」

道子《みちこ》が、左のほっぺたを指《ゆび》さした。

「ふうん、そいつら、八幡谷《はちまんだに》のほうからおりてきたんじゃないのか。」

「そうよ。あれ、第《だい》一小の子だと思うわ。」

ドラゴン部隊《ぶたい》は八幡谷だけでなく、あの周辺一帯《しゅうへんいったい》で軍事演習《ぐんじえんしゅう》をしているらしい。

これで被害者《ひがいしゃ》が三人になった。しかも三人とも、花山《はなやま》第二小学校の子どもたちだ。

花山団地の子ども会の班長《はんちょう》としては、この問題《もんだい》をほうっておくわけにはいかない。

ハカセという少年、これで責任感《せきにんかん》は強いほうなのだ。

3

いったい、夏休みの学校プールというのは、本来《ほんらい》の目的である水泳練習《れんしゅう》には、あまりつかわれていないようだ。子どもたちは水のなかにあつまって、おしゃべりをしたり、水のかけっこをしたり、追っかけっこをしたりするばかりで、クロールや平泳《ひらおよ》ぎでおよぎまわる子なんて、ほとんどいない。どちらかというと、ひるまの銭湯《せんとう》といった感じがする。

いや、なかにひとりだけ、水面にむらがる子どもたちをおしのけ、けとばしながら、クロールでおよいでいる子どもがいた。アフリカのマサイ族《ぞく》もびっくりするほど、元気いっぱい日に焼《や》けた少年である。およぎながら、前方《ぜんぽう》にいる子どもに、

「こら――、どけ、どけ。」

と、注意をうながしている。

およぎながらどなるというのは、かなりのエネルギーがひつようなのだが、この少年、さしてつかれた顔《かお》もみせず、プールをおよぎきり、プールサイドへとあがってきた。小さいからだつきに似《に》あわず、スタミナの持《も》ち主《ぬし》らしい。

そのとき、プールサイドにやせっぽちの少年と、たいこばらの少年があらわれた。やせっぽちの少年は、めがねをはずしたハカセこと山中正太郎《やまなかしょうたろう》。たいこばらのほうは、モーちゃんである。色黒《いろぐろ》少年を見つけたのは、モーちゃんのほうだった。

「やあ、ハチベエちゃん、やっぱりきてたんだね。」

ハカセのほうは、あいにくめがねをかけていないので、ひとの顔《かお》すら判別《はんべつ》できない。

色黒少年も、かた手《て》をあげた。

「おまえら、今きたのか。」

「そうさ、ハチベエくんの家に電話したら、学校のプールだっておしえてもらったからね。だから、ぼくらもきたってわけ。」

ハカセが、目を細めながらこたえた。近視《きんし》の人間は、目を細くすると、いくらか見えるようになるのだ。

「おれに用でもあるのか。いっとくけど、おれ、宿題《しゅくだい》はまだやってないからな。見せてくれってたのまれたって、無理《むり》だぞ。」

「ハチベエくんに、勉強のことで用ができるわけないだろう。」

ハカセがせせらわらう。

「あのね、ハチベエちゃん。ぼくら、けさ、へんなこときいたんだよ。」

モーちゃんが、ふたりのあいだにわってはいった。

「アパートに、貝原《かいばら》って五年生がいるの、知ってる?」

「ああ、知ってる。ゲタだろ。」

ハチベエと呼《よ》ばれた色黒《いろぐろ》少年は、そくざにいった。貝原勇介《かいばらゆうすけ》は四角な顔《かお》のりんかく

から、〃ゲタ〃というニックネームがついているのだ。

「貝原《かいばら》くんと、それから松崎《まつざき》くんて子が、きのう、八幡谷《はちまんだに》にカブトムシ捕《と》りにいったんだって。」

とたんに、ハチベエがぎょろ目《め》をむいた。

「八幡谷のカブトのこと、あいつらがどうして知ってんだ。あそこは、六年生の秘密《ひみつ》の場所だぞ。五年生のくせに、なまいきだな。いったい、だれがおしえたんだ。」

ハチベエが怒《おこ》りだしたので、こんどはハカセが口をひらいた。

「そのことは、あとで話すよ。それより問題《もんだい》は、そのあとなんだ。」

ハカセが、勇介《ゆうすけ》たちの災難《さいなん》を説明《せつめい》するうちに、色黒《いろぐろ》少年の顔《かお》つきがしだいに険悪《けんあく》になってきた。そして話題《わだい》が四年生の翼《つばさ》の一件《いっけん》におよぶやいなや、ハチベエは、かんぜんに怒《おこ》りだした。

「くそう。第《だい》一小のやつら、おれたちのこと、ナメてるな。わかった。おい、ぼやぼやしてると、日が暮《く》れちゃうぞ。」

ハチベエはそういいすてると、更衣室《こういしつ》のほうにあるきだした。

「ハチベエちゃん、いまから八幡谷《はちまんだに》にいくつもり。」

「あたりまえだろう。このままほっといたら、あの谷は、第一小《だい》の縄張《なわば》りになっちまわあ。早いとこ、追いだすにかぎるぜ。」

「でもさあ、花山《はなやま》中学の子もいるんだって。みんな、エアガンで武装《ぶそう》してるんだよ。」

モーちゃんが、いくぶん不安《ふあん》げな声をあげた。

「へっ、たかがBB弾《ビービーだん》じゃねえか。撃《う》たれたって、死にゃあしないよ。おれのパンチのほうがよっぽどききめがあるさ。」

どうもこの少年、ねっからのけんか好《ず》きらしい。

「あのね、ハチベエくん。まずは話しあってみようよ。暴力《ぼうりょく》はいけないよ。」

ハカセも、ハチベエを追いかけながら忠告《ちゅうこく》する。

「話してわかるようなやつが、エアガンぶっぱなすかよ。いいか、この一件《いっけん》、おれがひきうけたぞ。なんならおまえら、こなくたっていいんだからな。」

ハチベエは、ひとりでも八幡谷にのりこむつもりらしい。

「だから、ぼく、ハチベエくんに話すの、反対だったんだ。あああ、モーちゃんとふたりで出かけてたら、もっと平和的《へいわてき》に話しあえたのになあ。」

ハカセが、うらめしげにモーちゃんをふりかえった。どうやら、ハチベエをまきこむことを主張《しゅちょう》したのは、モーちゃんらしい。

ハチベエの本名《ほんみょう》は、八谷良平《はちやりょうへい》。ハカセやモーちゃんと同じ、花山第《はなやまだい》二小学校のクラスメイトである。口はたつが、腕力《わんりょく》にはからっきし才能《さいのう》のないハカセでは、モーちゃんとしても、なんとなく不安《ふあん》があって、ハチベエを仲間《なかま》にいれることを提案《ていあん》したのだが、はたしてそれが良かったのかどうか。

モーちゃんも、だんだん自信《じしん》がなくなってきたところだった。


ハチベエ、ハカセ、モーちゃんの三人が、八幡谷《はちまんだに》へ到着《とうちゃく》したのは、一時間後の午後《ごご》二時ちかくだった。今しも真夏の太陽がぎらぎら照《て》りつけて、山のみどりもなにやらぐったりとしている。

谷のなかを流れる小川にそった道を進むうちに、はるか谷のおくのほうで、ワーッというときの声があがった、それといっしょに、「つっこめ――」「撃《う》て、うて!」といった声もきこえてきた。

「お、なんか、おっぱじまってるぜ。」

ハチベエが、かけだした。

山かげをまわりこんだとたん、三人の眼前《がんぜん》に、異様《いよう》な光景《こうけい》が展開《てんかい》した。二十人ほどの男の子たちが、谷の両側《りょうがわ》にわかれて、銃撃戦《じゅうげきせん》のまっさいちゅうなのだ。もっか、右手の連中《れんちゅう》が、小川をとびこして、左手に突撃《とつげき》をこころみている。左手の連中《れんちゅう》は、突撃してくる子どもたちをねらい撃《う》ちしているところだ。

ピシッ、ピシッというするどい射撃音《しゃげきおん》があちこちであがるたびに、子どもが、ひとり、またひとりと草むらにたおれる。

「へえ、コンバットごっこだな。けっこうおもしろそうじゃないか。」

さっきまでの怒《いか》りはどこへいったものやら、ハチベエは、興味《きょうみ》しんしんといった顔《かお》つきで、戦闘《せんとう》のなりゆきを見物しはじめた。

「でも、あぶないいんじゃないの。近くから撃たれると、けがするよ。」

モーちゃんは、そっちのほうが心配らしい。

「だから、みんな、ゴーグルして、長そでのシャツ着てるのさ。服の上からあたったって、けがしないもの。」

「エアガンの命中距離《めいちゅうきょり》は、どのくらいなのかなあ。二十メートルくらい？」

そのとき、ふいにするどい声がとんだ。

「おい、だれかいるぞ。」

「演習中止《えんしゅうちゅうし》、侵入者《しんにゅうしゃ》発見！」

その声に、戦闘《せんとう》ちゅうの子どもたちが銃撃戦《じゅうげきせん》をやめると、いっせいに三人のほうにかけよってきた。

たちまち三人は、武装《ぶそう》した兵士《へいし》にかこまれてしまった。

「なんだ、おまえらは。」

マシンガンをかかえた黒シャツの子が、三人をながめまわす。

と、うしろにいた黄色い服の子が声をあげた。

「ああ、この子第《だい》二小の子だぜ。ハチベエっていうんだ。」

「なんだ、なんだ。また第《だい》二小のおでましか。あのな、ここはおれたちの基地《きち》があるんだ。カブトムシなら、よそで捕《と》りなよ。」

黒シャツが、マシンガンの銃口《じゅうこう》でハチベエのおなかをつついた。しかし、ハチベエすこしもさわがず、マシンガンの銃口を、むんずとつかんだ。

「へえ、かっこいいな。こいつは、エアじゃなくて、ガスをつめるやつだろう。第一のボケナスには、もったいないんじゃないのか。」

「なにを！」

黒シャツは、あわててマシンガンをひっこめる。

「バーカ、おまえみたいな、下《した》っぱじゃあ話にならねえよ。責任者《せきにんしゃ》だせ。責任者を。」

ハチベエという少年、肝《きも》っ玉《たま》だけは、だれにもひけをとらない。武装《ぶそう》した子どもにかこまれたまま、ゆうぜんとあるきだした。まわりの子どもたちのほうが、じりじりと後退《こうたい》をはじめた。

そのとき、谷のおくのほうから、ひとりの男の子がかけてくるのが見えた。迷彩服《めいさいふく》を着た背《せ》の高い子だ。

「ハチベエくん、あいつがリーダーらしいよ。」

ハカセがささやくと、ハチベエは目のまえの黒シャツをおしのけるようにして、迷彩服《めいさいふく》のまえにとびだした。

「おい、おまえがリーダーか。おれは花山第二小学校《はなやまだい》の八谷《はちや》ってもんだけどさ。おまえら、うちの小学校の子がカブト捕《と》りにきたら、エアガンで追っぱらったってな。そいから、お宮の境内《けいだい》でも、うちの学校の子を撃《う》ったってなあ。」

ハチベエは、じろりと迷彩服の少年を見あげた。第一小の連中《れんちゅう》の親分《おやぶん》だというから、てっきり不良中学生だろうと思ったけれど、目のまえに立っているのは、色の白い、おとなしそうな顔《かお》つきの少年だ。これなら、ハチベエのパンチでいくらでも料理《りょうり》できそうだ。

ハチベエは、内心《ないしん》ほっとしたものである。

迷彩服は、すこしのあいだハチベエたち三人の顔をながめていたが、やがてうすい笑《わら》い声《ごえ》をたてた。

「おまえ、花山商店街《はなやましょうてんがい》の八百屋《やおや》のむすこだろう。へえ、後輩《こうはい》のために文句《もんく》をいいにきたってわけか。だけどな、ここはおれたちドラゴン部隊《ぶたい》が基地《きち》を建設《けんせつ》したところなんだ。おまえに文句《もんく》いわれたからって、はい、そうですかって、出ていくわけにはいかないなあ。」

「へっ、ドラゴンかバカゴンか知らないが、この谷の半分は、花山一丁目《はなやまちょうめ》なんだぞ。そういうことは、花山第二小学校《はなやまだいに》の校区《こうく》なんだよ。中町《なかまち》の連中《れんちゅう》に、へんなものこさえられちゃあ、こまるんだな。」

「だから……？」

迷彩服《めいさいふく》が、ゆっくりと肩《かた》に手をやった。この少年もマシンガンを肩につるしている。

少年は静かに、マシンガンをからだのまえにまわす。

「わかんねえやつだなあ。さっさと、鉄砲《てっぽう》かついで、出ていけってんだよ。もし出ていかないってんなら、おれたちだって、考えがあるんだぜ。」

「だから……？」

迷彩服が、マシンガンの引《ひ》き金《がね》に手をやった。そのとたん、三人をとりかこんでいた子どもたちも、銃《じゅう》のレバーを引いたり、わざとらしく、ガチャつかせる。

「だから……。力づくでも、この谷をとりもどすってことさ。」

「わかった。そいつはいい。こうしようぜ。おれたちドラゴン部隊《ぶたい》と、花山第二小《はなやまだい》で、戦争《せんそう》しようじゃないか。そして勝ったほうが、この谷を占領《せんりょう》する。」

「戦争ねえ……」

ハチベエは、かたわらのハカセをふりかえる。

「戦争といっても、ぼくら、武器《ぶき》がありません。エアガンも持ってないし……」

ハカセが、いくぶんふるえ声《ごえ》でこたえた。

「べつに、エアガンでなくったっていいさ。弓《ゆみ》でも石ころでも、木刀《ぼくとう》で斬《き》りこんできたっていいぞ。おい、みんなどうだ。第二小の連中《れんちゅう》とやってみないか。」

迷彩服《めいさいふく》がどなると、まわりの子どもたちがいっせいにさわぎだした。

「上等《じょうとう》だよう。百人くらい攻《せ》めてきたっていいぞ。」

「なんなら、大砲《たいほう》かついでこいよ。」

「いくらでもうけて立つぜ。」

戦士《せんし》たちの反応《はんのう》に、迷彩服は、まんぞくそうにうなずいた。

「というわけだ。第二小《だいに》の連中《れんちゅう》だって、すこしは骨《ほね》のあるやつがいるんじゃないのか。おれたちは朝の十時くらいから夕《ゆう》がたまで、ここにいるからさ。おまえたちの好《す》きなときに攻《せ》めてきな。」

「わかった。そこまでいわれたら、こっちだって、やるっきゃないな。ハカセ、モーちゃん、わかったな。」

ハチベエは、同志《どうし》をふりかえる。

ふたりも、しかたなくうなずいた。

「ようし、それじゃ、きょうのところはもどっていいぞ。おい、道をあけてやれよ。」

迷彩服《めいさいふく》の命令《めいれい》で、まわりの人垣《ひとがき》がくずれる。

ハチベエは、じろりと連中《れんちゅう》をひとにらみしてから、ゆっくりとあるきだした。

五メートルほどあるいたとき、背後《はいご》で、プシュ、と音がした。ハチベエの足もとの草が、ぱっとちぎれる。と、こんどは、道のそばのイチジクの葉が、音をたてた。

わざとねらいをそらしているにちがいないが、なんとなく気味《きみ》が悪い。ハチベエは、思わず足を速《はや》める。と、ハチベエのそばをモーちゃんがかけぬけた。つづいてハカセが……。

と、もういけない。ハチベエも知らず知らずかけだしていた。

そのとたん、ハチベエのまわりに、プラスチックの弾《たま》が飛来《ひらい》してきた。T《ティ》シャツのせなかに、チクっとした痛《いた》みがはしった。

4

八幡谷《はちまんだに》を脱出《だっしゅつ》し、お宮の境内《けいだい》までたどりついたときのハチベエの顔《かお》ときたら、なかった。

黒い顔が、怒《いか》りのために青ざめて見えるほどだった。

「くそう……。中《なか》町のやつら……。ギタギタのめにあわせてやるからなあ。」

ハチベエは、かたわらの杉《すぎ》の木をけとばした。

「あああ、こわかった。うしろからピュン、ピュン、弾《たま》がとんでくるんだもの。でも、よかったよ。命中《めいちゅう》しなくて。」

モーちゃんが、ふうふう息をつきながらも、顔をほころばせる。

「だけど、めんどうなことになったなあ。あのようすじゃあ、中町《なか》の連中《れんちゅう》、あの谷を占領《せんりょう》するつもりだよ。ハチベエくん、どうするの。」

ハカセのことばに、ハチベエは、ふたりをにらみまわした。

「なに、のんきなことをいってるんだよ。戦争《せんそう》にきまってるだろう。おれたちも仲間《なかま》あつめて、八幡谷《はちまんだに》に攻《せ》めこむのさ。」

「だけど、武器《ぶき》がないよ。あの子たちは、みんなエアガンで武装《ぶそう》してるからなあ。」

「こっちは、石なげてやるさ。うん、パチンコがいい。それに木刀《ぼくとう》だな。エアガンっていうのはよ、一発撃《ぱつう》つのに、レバーをひいて空気をつめなくちゃあ、とばないのさ。そのすきに木刀《ぼくとう》でぶんなぐりゃあ、いいのさ。」

「でも、ガスガンもあったよ。あれは連射《れんしゃ》がきくんじゃないの。」

「マシンガンは、二丁《ちょう》だけだもの。パチンコでいっせい射撃《しゃげき》したほうが、効果《こうか》があるぞ。なんせ、パチンコの弾《たま》は石だからなあ。命中《めいちゅう》すりゃあ、かるくてけが……。へたすりゃあ、死ぬやつも出るかもしれないな。へへ、こいつはおもしろくなってきたなあ。」

ハチベエが、不敵《ふてき》な笑《わら》い声《ごえ》をたてた。

「とにかく、仲間《なかま》あつめないとな。いいか、モーちゃん、ハカセ。これはけんかじゃないんだからな。第《だい》一小と第二小の戦争《せんそう》なんだ。もし負けたら、第二小は、これからずっと八幡谷《はちまんだに》に近づけないんだ。八幡谷ばかりじゃないぜ、このお宮にだって、これなくなる。そうなってもいいのか。」

ハチベエにつめよられると、平和主義者《へいわしゅぎしゃ》のモーちゃんも、ここは第一小学校の連中《れんちゅう》を痛《いた》いめにあわせるほうが良いような気がしてきた。

「わかったよ、ハチベエちゃん。それで、みんなをどこにあつめたらいい？」

「うん、そうだなあ。」

「花山団地《はなやまだんち》のはずれがいいんじゃないの。ほら、この道の入り口……。あそこ、けっこう広いし、あんまりひとがとおらないから。」

ハカセが、境内《けいだい》から花山団地にぬける山道を指《ゆび》さした。

「じゃあ、あすの午後《ごご》一時だぞ。わすれるなよ。」

ハチベエは、境内にとめてある自転車にとびのった。彼の家は、お宮の正面の道をくだって国道《こくどう》に出たほうが近いのだ。

十分後、わが家《や》にもどったハチベエは、店さきのアイスボックスから売りもののアイスを失敬《しっけい》すると、茶《ちゃ》の間《ま》の電話のまえにすわりこんだ。そして、クラス名簿《めいぼ》かた手《て》に、電話のボタンをおしはじめた。

「ああ、井上《いのうえ》か。おれだ。ハチベエだ。あのな、戦争《せんそう》するんだ。うん？　PKO《ピーケイオー》……？　なにねぼけてるんだよ。第《だい》一小のやつと、コンバットごっこするのさ。武器《ぶき》はパチンコや木刀《ぼくとう》だな。あいつら、八幡谷《はちまんだに》に秘密基地《ひみつきち》こさえてるんだよ。そいでさあ、エアガンでコンバットごっこしてて、おれたちに挑戦《ちょうせん》してきたわけ。だから、あすの午後一時、花山団地《はなやまだんち》に集合《しゅうごう》。なにい、ピアノのレッスン？　バカ、おまえ、第一のやつに八幡谷を占領《せんりょう》されていいのか。あそこは、カブトやクワガタの宝庫《ほうこ》なんだぞ。おまえ、それでも第二小学校の生徒《せいと》かよ。いいな、こなかったら、ぶんなぐるぞ！」

とまあ、こんな調子《ちょうし》で、たてつづけにクラスメイトに招集《しょうしゅう》をかけていった。

それでもたりず、よく朝《あさ》、駅近くのラジオ体操《たいそう》の会場でも、しきりに兵士《へいし》の募集《ぼしゅう》をおこなったのである。そのかいあってか、午後《ごご》一時、花山団地《はなやまだんち》のはずれには、十五人ちかい子どもがあつまってきた。

六年生は、ハチベエ、ハカセ、モーちゃんのほかに、一組の田代信彦《たしろのぶひこ》、井上隆治《いのうえりゅうじ》、代々木真悟《よよぎしんご》、清水学《しみずまなぶ》、中森晋助《なかもりしんすけ》、これに二組の和泉信義《いずみのぶよし》と、志喜屋守《しきやまもる》のふたりがくわわった。五年生は貝原勇介《かいばらゆうすけ》と松崎浩司《まつざきこうじ》、四年の中村翼《なかむらつばさ》と弟の大輔《だいすけ》もくっついている。

もっとも大輔は二年生だから、とても戦力《せんりょく》にはならないだろう。

「ううん、これくらいのもんかなあ。」

ハチベエは、十三人の戦士《せんし》を見まわした。

「もうきいたと思うけど、第《だい》一小の連中《れんちゅう》が、八幡谷《はちまんだに》にテント張《は》ってるんだ。そいで、第二小の子が、カブト捕《と》りにいったら、エアガンで撃《う》ったり、追っぱらったりするんだ。それで、きのう、おれとハカセとモーちゃんで、文句《もんく》をいいにいったらさ、花山《はなやま》中学のやつが出てきて、戦争《せんそう》して負けたなら出ていくって、ぬかしやがったわけ。あいつらの挑戦《ちょうせん》をうけなきゃあ、恥《はじ》だろう。だから、みんなで攻撃《こうげき》しようぜ。」

ハチベエがまことに明快《めいかい》なる演説《えんぜつ》をおこなったところで、腰《こし》をおろしていた二組の和泉信義《いずみのぶよし》が手をあげた。

「ハチベエよう。戦争《せんそう》っていっても、おれたち、武器《ぶき》がいるよなあ。なんでたたかうつもりだ。」

「まかしとけって。まずパチンコだな。ゴムひもで石ころとばすやつ。それに木刀《ぼくとう》。ああ水鉄砲《みずでっぽう》でもいいぞ。もちろんただの水じゃなくって、とうがらしかこしょうをまぜた水さ。」

「でも、あいつら、ゴーグルしてるんじゃないの。」

「へえ、よく知ってるなあ。」

ハチベエが、けげんな顔《かお》で信義《のぶよし》を見た。

「じつは、おれ、あの連中《れんちゅう》のこと、ちょっと知ってんだ。あいつらのリーダーは森茂《もりしげ》って男《お》っていってさ、花山中《はなやま》の二年生なのさ。うちの兄ちゃんと同じクラスなんだ。去年《きょねん》、うちの兄ちゃんも、森たちとコンバットごっこしてあそんでたんだけど、つまんなくなってやめたんだって。ほかの中学生も、だんだんあそばなくなったけど、森だけは、ずうっとやってるらしいよ。」

「それで、小学生あつめて大将《たいしょう》になってるわけか。」

「そういうこと。中学じゃあ、おとなしいやつで、クラスメイトにいじめられることもあるってさ。」

「なあるほどね。ま、たいした男じゃあないってことだな。みんな、和泉《いずみ》の話、きいたろ。大将《たいしょう》が、そのていどなんだもの、どうってことないって。」

ハチベエが、得意《とくい》そうにいったとき、小さな声がした。

「あのねえ。パチンコって、どんなの。チン、ジャラジャラっていう、あれじゃないよねえ。」

二年生の大輔《だいすけ》が、あどけない顔《かお》をかたむけている。

すると、子どもたちのなかから、べつの声がした。

「ほら、これがパチンコさ。」

五年の松崎浩司《まつざきこうじ》が、右手をさしあげた。Y《ワイ》字型《じがた》の木にゴムひもがついている。

「へえ、いいの持ってるじゃないか。おまえつくったのか。」

ハチベエがとりあげて、しげしげと観察《かんさつ》をはじめた。

「パパがつくってくれたんだよ。パパ、子どものころ、これでスズメ撃《う》ちおとしてた

んだって。」

「おまえのおやじ、子どもにあぶないことおしえるんだなあ。」

パチンコは、つぎつぎと戦士《せんし》たちのあいだをまわる。

「これなら、おれたちでつくれそうだな。よし、きょうは、まずパチンコをつくろう。それに木刀《ぼくとう》もつくろう。」

ハチベエが提案《ていあん》したとき、えへんとせきばらいがきこえた。ハカセである。

「パチンコや木刀もいいけど、もっと強力《きょうりょく》な兵器《へいき》があったほうがいいと思うんだ。それでね、ぼく、ゆうべ考えたんだけど、戦車《せんしゃ》をつくったらどうかなあ。」

「戦車だって?」

これには、ハチベエもあんぐり口をあけた。

「むろん、キャタピラでうごくのは無理《むり》だけどね。ハチベエくんとこに、リヤカーがあるだろ。あれを利用して人力《じんりき》の戦車をつくるんだよ。八幡谷《はちまんだに》は、中町《なか》のほうからの

ぼっていくと、リヤカーくらいならとおれる道がついてるんだ。あの道をとおって攻《せ》めのぼるんだ。」

「リヤカーが、どうやって戦車《せんしゃ》になるんだ。」

「リヤカーの前方《ぜんぽう》と側面《そくめん》にパネルを張《は》って、BB弾《ビービーだん》から身をまもるようにするんだよ。それから、荷台《にだい》にロケット花火《はなび》の発射台《はっしゃだい》をとりつけてだね、戦車のなかからロケット花火を発射するっていうのは、どう？」

「そうか。うん、こいつはすごいなあ。ロケット花火を発射しながら突撃《とつげき》すりゃあ、中町の連中《れんちゅう》、おったまげて、腰《こし》ぬかすぜ。ハカセ、それ、すぐにできるのか。」

「リヤカーさえ、持ってきてくれたら、きょうじゅうにできると思うよ。ベニヤ板や、ロケット花火の発射台は、もう用意してあるんだ。」

ハカセが、いくぶん得意《とくい》げにめがねをずりあげた。

武器《ぶき》の点《てん》で、やや不安《ふあん》のあった第《だい》二小の部隊《ぶたい》も、戦車出現《せんしゃしゅつげん》のニュースで戦力《せんりょく》アップの見《み》とおしもついた。

ハチベエは、さっそくわが家《や》の倉庫《そうこ》にころがっている古いリヤカーをとりにもどり、ほかの子どもたちは、パチンコと木刀《ぼくとう》づくりのために近くの山に出かけた。

パチンコにつかうゴムひもは、文房具屋《ぶんぼうぐや》にいけば一ふくろ百五十円で売っていると、これはパパにパチンコを作ってもらった松崎浩司《まつざきこうじ》がおしえてくれたので、モーちゃんが一括購入《いっかつこうにゅう》すべく、団地《だんち》のなかの文房具屋に出かけた。小石をはさむ革《かわ》のほうは、貝原勇介《ばらゆうすけ》が、わが家から、かびのはえた古いハンドバッグを持ってきたので、すべての兵士《へいし》にゆきわたるだけの革も確保《かくほ》された。

かくして、三時間もしないうちに、十四人の兵士は、木刀とパチンコという、各自《かくじ》の武器《ぶき》を手にすることができたのである。

あとは、リヤカーを利用した戦車《せんしゃ》だ。ハカセが用意していたベニヤ板をリヤカーの三方にたてて、リヤカーのパイプに針金《はりがね》でくくりつける。

ハカセ考案《こうあん》のロケット花火発射台《はなびはっしゃだい》というのは、直径《ちょっけい》二センチほどの塩《えん》ビのパイプを五本板の上にならべて固定《こてい》したものだ。板の下に写真の三脚《さんきゃく》がついていて、板の方向や角度《かくど》がかえられるしくみになっていた。

ハカセは、荷台《にだい》の上に発射台をすえつけると、おもむろにロケット花火をとりだし、一本ずつ、パイプのなかにいれる。パイプの長さは、花火のしっぽについた竹《たけ》ひごの長さよりみじかくなっているから、花火の導火線《どうかせん》は、パイプよりも、五センチほどさきのほうにあった。

「それじゃあ、ちょっと実験してみよう。角度《かくど》は、これくらいのものかな。」

ハカセが発射台《はっしゃだい》を、いくぶんななめにした。

みんなは、戦車《せんしゃ》の後方《こうほう》で、かたずをのんで見まもる。

「発射！」

ハカセは、ひと声《こえ》さけぶと、右はしの花火にライターの火を近づけた。

花火が、白いけむりをはきながらとびだし、五メートルほどはなれた地上におちる。

そのまま、シュシュッと、けむりをはきながら地面の上を直進《ちょくしん》し、パンと音をたてて破裂《はれつ》した。

「ううん、もうすこし上《うわ》むきのほうがいいな。」

ハカセが、発射台の角度をなおす。

こんどは、きれいな放物線《ほうぶつせん》をえがき、二十メートル前方《ぜんぽう》の地面に落下《らっか》した。落下する直前、花火がパンと音をたててはじける。

「今のがいいなあ。今の角度《かくど》で発射《はっしゃ》したら、敵《てき》の目のまえで爆発《ばくはつ》するんじゃないの。」

和泉信義《いずみのぶよし》が、感心《かんしん》したようにうなる。

「角度は、いろいろかえられるからね。敵が近くにいるときは、さっきの角度で発射してもいいと思うよ。足もとで爆発するのも、効果的《こうかてき》だと思うし。」

ハカセは角度をかえて、花火を撃《う》ちだした。

「よし、ハカセ、おまえは戦車兵《せんしゃへい》だ。それにモーちゃん、おまえもな。」

ハチベエが、命令《めいれい》した。

「え？　ぼくも。」

「そうさ。戦車をおす人間がいるだろう。つまり、おまえは戦車のエンジンてわけ。」

ふつうの子どもならば、この発言におおいにふんがいするところだが、モーちゃんはちがっていた。

「あ、そうだね。戦車のうしろにいるんなら、いちばん安全だな。」

モーちゃんは、にっこりとわらったものである。

その日は、夕がたまでパチンコによる射撃訓練《しゃげきくんれん》と、戦車《せんしゃ》の走行訓練《そうこうくんれん》をおこない、おしまいに戦車を先頭《せんとう》にたてての突撃大演習《とつげきだいえんしゅう》をやった。

「これなら、ぜったいに勝てるな。よし、あしたは、八幡谷《はちまんだに》を攻撃《こうげき》するぞ。」

ハチベエの声に、戦士《せんし》たちがワーと声をあげた。

「午後《ごご》一時、ここに集合《しゅうごう》ね。それまでにパチンコの弾《たま》をあつめて、ふくろにつめておくこと。それにゴーグルとか、水中めがねもわすれないで。服装《ふくそう》は、長そでに長ズボン。ぼうしかヘルメットをかぶってきたほうがいいね。」

ハカセが各自《かくじ》の装備《そうび》について注意した。

「ねえ、ねえ。第《だい》一小の子どもは、ドラゴン部隊《ぶたい》っていうんだろ。ぼくらも名前つけようよ。」

四年生の中村翼《なかむらつばさ》が声をはりあげる。

「そうだね。あっちがドラゴン部隊なら、ぼくらはタイガー部隊なんか、どう。」

「そういえば昔《むかし》のドイツ軍に、タイガー戦車ってのがあったんだろ。この戦車もタイガー戦車だな。」

田代信彦《たしろのぶひこ》が、かたわらの戦車《せんしゃ》に手をのせた。そのとたん、ベニヤ板がぐらりとゆれる。

この戦車、旧《きゅう》ドイツ軍の戦車より、いくぶんやわにできているらしい。

「ねえ、ぼくらが攻撃《こうげき》すること、敵《てき》に知らせなくてもいいの。」

ふと、モーちゃんがいった。

「ううん、森《もり》ってやつは、いつでも攻《せ》めてこいっていってたけどなあ。」

ハチベエが、ちょっと考えこむ。

「おれ、電話しといてやろうか。兄貴《あにき》が電話番号しってるからさ。」

二組の和泉信義《いずみのぶよし》がこたえた。

「ああ、たのまあ。やっぱり正々堂々《せいせいどうどう》と攻めこまなくちゃあ、勝ってもおもしろくないもんなあ。」

ハチベエもそくざにうなずいた。

しかし、これがそもそもの作戦《さくせん》ミスになろうとは、ハチベエ隊長《たいちょう》も、部下《ぶか》の兵士《へいし》たちも、まるで気がつかなかったのである。

二、八幡谷攻防戦《はちまんだにこうぼうせん》

1

瀬戸内海《せとないかい》に面《めん》したミドリ市は、夏になると、なかなか日がしずまなくなる。午後《ごご》七時といっても、おもては明るいから、その気になればいくらでもあそんでいられる。

花山団地《はなやまだんち》の市営《しえい》アパートの中庭《なかにわ》でも、いまだに子どもがうろついていた。もっとも、その子はあそんでいるつもりはない。彼は、目のまえにおかれた人力戦車《じんりきせんしゃ》を、よりパワーアップするため、さまざまなくふうをほどこしているさいちゅうなのだ。

ハカセこと、山中正太郎《やまなかしょうたろう》は、ニックネームのとおり、なかなかの研究家であり、かつまた知識《ちしき》も豊富《ほうふ》だった。戦争《せんそう》に使用《しよう》される武器兵器《ぶきへいき》のたぐいについても、それこそ弓矢《ゆみや》から核《かく》ミサイル、細菌爆弾《さいきんばくだん》や毒《どく》ガスまで、ひととおりの知識をもっている。

その彼が、もっか頭をなやませているのは、リヤカー型人力戦車《がたじんりきせんしゃ》に装備《そうび》する武器《ぶき》のことだ。

きょうの大演習《だいえんしゅう》では、荷台《にだい》にのせたロケット花火《はなび》だけをつかったが、せっかくの戦車の装備が、ロケット花火だけではさみしい。

ほんものの戦車なら、大砲《たいほう》を搭載《とうさい》するところだけれど、あいにく日本では自衛隊《じえいたい》以外の国民が、大砲を使用《しよう》することを禁止《きんし》しているし、だいいちリヤカーに大砲をのっけるのは無理《むり》だ。

と、なると、もっと原始的《げんしてき》なものがいい。

中世《ちゅうせい》ヨーロッパの戦争では、投石機《とうせきき》がさかんにつかわれたらしい。巨大《きょだい》な腕木《うでぎ》のさきに岩石をのせて、腕木がはねあがる力を利用して、岩石を遠くにとばすしかけだ。あれの、ごく小さなものをリヤカーの荷台にのせられないだろうか。そう考えて、あれこれ、くふうしてみたのだが、腕木《うでぎ》をはねあげるほどの強力《きょうりょく》なスプリングが、思いつかないのだ。自転車のチューブを細く切って、ゴムの力でとばすのが、いちばんかんたんだろうと思い、試作《しさく》してみたのだが、こぶし大の石をとばすだけのゴムとなると、かなり太いゴムになるし、これをひっぱるには、ハカセの腕力《わんりょく》では、とうてい無《む》理《り》だ。だいたい、そんな器具《きぐ》をつかうより、手で投げるほうが、よほど遠くにとぶ。

かくして、第《だい》一の案《あん》は失敗《しっぱい》におわった。

けっきょく、戦車《せんしゃ》に搭載《とうさい》する重火器《じゅうかき》は、ロケット花火《はなび》の発射台《はっしゃだい》だけにして、そのかわり前面《ぜんめん》のベニヤに四角い穴《あな》をあけ、そこからパチンコで敵《てき》をねらい撃《う》ちできるようにすること。いまひとつ、戦車の側面《そくめん》にも、左右に一枚《まい》ずつベニヤ板をとりつけ、ちょうつがいでよこにひらくようにした。これで、戦車の両側《りょうがわ》にもひとりずつ、歩兵《ほへい》がかくれられるようになった。このベニヤ板にも穴をあけて、パチンコが使用《しよう》できるようにした。

すべての作業《さぎょう》をおえたときには、さすがに、空も暗くなり、あちこちに夏の星がまたたきはじめていたのである。

しかし、これであすの準備《じゅんび》がすべてととのったわけではない。双眼鏡《そうがんきょう》、救急箱《きゅうきゅうばこ》、八《はち》幡谷《まんだに》の見取《みと》り図《ず》、それに……。

「そうだ、タイガー部隊《ぶたい》の旗《はた》もあったほうがいいな。田代《たしろ》くんに電話でたのんでおかなくちゃあ。」

ハカセの頭のなかには、つぎつぎとアイディアがうかんでくるのであった。

同じ時刻《じこく》、同じ市営《しえい》アパートの一室では、モーちゃんが、冬物《ふゆもの》の洋服の山をまえに、頭をなやませているさいちゅうだった。

彼は、戦車《せんしゃ》のエンジンだから、ちょくせつ戦闘《せんとう》にくわわることはないだろう。しかし、敵《てき》の銃弾《じゅうだん》は、非戦闘員《ひせんとういん》のモーちゃんにも、ようしゃなくふりそそいでくるかもしれない。となると、夏ものの長そでシャツでは、なんとも不安《ふあん》だ。こないだ見た、貝原勇介《かいばらゆうすけ》の腕《うで》のけがを見ると、BB弾《ビービーだん》の威力《いりょく》はそうとうなものらしい。

ズボンは、やはり厚手《あつで》の長ズボンにして、くつは長ぐつがいいだろう。上着《うわぎ》は、フードのついたアノラックがいいかもしれない。これにプラスチックの水中めがねをかけて、自転車用のヘルメットをかぶれば、まずは安心だ。まてよ、口のまわりに、まだ素肌《すはだ》が見えてるから、タオルでふくめんをしよう。これに、手袋《てぶくろ》をすれば、かんぺきだ。

モーちゃんは、思いつくままに、それらの衣服《いふく》をまとっていった。なにしろ、日中《にっちゅう》の最高気温が三十度をこえている真夏の午後《ごご》八時である。クーラーのない子どもべやは、ランニング一枚《まい》でも、じくじくと汗《あせ》ばむくらいだ。

そこにもってきて、アノラックや長ズボンをはけば、いったいどうなるか。

モーちゃんのからだは、たちまちのうちにゆでダコのようになった。

そのとき、へやの戸があいて、タエ子姉さんが顔《かお》をだした。

今年《ことし》高校にあがったばかりの姉さんは、スリップ一枚という、なんともきらくなかっこうで、目のまえの弟をながめやった。

「あんた、なにやってんの。がまん大会?」

「う、いやそうじゃないけど……。ちょっとね。」

口をにごしながら、モーちゃんは、はあっと大きな息をはきだす。なんとも暑い。いや暑いってもんじゃない。だんだん息苦《いきぐる》しくなってきた。こんなかっこうで、はたして戦車《せんしゃ》のエンジンがつとまるだろうか。やっぱりアノラックはやめて、ふつうの上着《うわぎ》にしよう。そうだ、上着の下に厚紙《あつがみ》かなにかをさしこんどけば、防弾《ぼうだん》の役目をはたしてくれるにちがいない。

モーちゃんは、ふうふう息をつきながら、アノラックをぬぎはじめた。

ふたりの戦士《せんし》が、あすの戦闘準備《せんとうじゅんび》に苦労しているというのに、タイガー部隊《ぶたい》の隊長《たいちょう》を自認《じにん》するハチベエこと、八谷良平《はちやりょうへい》は、同じ時刻《じこく》、のんきにわが家《や》のふろにはいっていた。

むろん、彼もあすの決戦《けっせん》をわすれていたわけではない。こうして湯舟《ゆぶね》につかりつつ、心はすでに八幡谷《はちまんだに》の戦場《せんじょう》におもむいていたのだ。

谷のおくには、中《なか》町の子どもたちが、手に手に銃《じゅう》をかまえて、タイガー部隊を待ちかまえている。ハチベエは、進撃《しんげき》する戦車《せんしゃ》と歩調《ほちょう》をあわせながら、攻撃《こうげき》のチャンスをうかがっていた。敵陣《てきじん》まで五十メートルに近づいた。

中町の子どもたちが、いっせいにエアガンを撃《う》ちはじめた。

「まだ、撃つなよ。もっと近づいてからだ。」

ハチベエ隊長は、戦車に注意をあたえながら、なおも接近《せっきん》していく。隊長の鼻《はな》さきを、BB弾《ビービーだん》がうなりをあげてかすめていくが、ハチベエは、まだ進みつづける。

敵陣まで、あと二十メートルにせまったとき、ハチベエは、右手をあげる。

「ロケット弾《だん》、発射《はっしゃ》！」

戦車《せんしゃ》から、たてつづけにロケット弾が発射され、敵陣《てきじん》にふりそそぐ。草むらにかくれていた敵兵《てきへい》が、あわててとびだしてきた。

「パチンコ部隊《ぶたい》、射撃《しゃげき》はじめ！」

逃《に》げまどう敵兵を、小石の雨がおそう。敵は基地《きち》のなかへと退却《たいきゃく》をはじめた。

「つっこめ――」

ハチベエは、全軍に命令《めいれい》をくだすと、みずから先頭《せんとう》に立って、敵の基地に斬《き》りこみをかけた。

と、そのとき、どこからかBB弾《ビービーだん》がとんできて、ハチベエの首すじにあたった。

うっとうめいて、ハチベエはその場にたおれる。しかし兵士《へいし》たちは、隊長《たいちょう》のからだをとびこえていく。

「八谷《はちや》くん、しっかりして。」

ふいに、女の子のあまい声がした。目をあけると、白い看護婦《かんごふ》すがたの女の子が、ハチベエの頭をひざの上にだきかかえてくれていた。

「お、おまえ……」

なんと、六年一組の美女ナンバーワンの荒井陽子《あらいようこ》ではないか。

「あなたたちが、第《だい》一小の子と戦争《せんそう》するっていうから、あたしと由美子《ゆみこ》は、看護婦《かんごふ》になったの。まあ、ひどいけが……」

陽子が、てばやく首すじに薬をぬってくれた。

「おれのけがなんか、どうでもいい。それより戦争は、どうなった？」

「きみの勇敢《ゆうかん》な行動で、中《なか》町の子どもたちは、みんな逃《に》げだしたわ。ほら、きこえるでしょ。」

かなたの基地《きち》のあたりから、バンザイの歓声《かんせい》がきこえてくる。

「そうか、みんな、よくがんばってくれたな。」

ハチベエは、まんぞくげにほほえむ。

「なにいってるの。それもこれも、八谷《はちや》くんのおかげよ。」

陽子の白い指が、首すじをやさしくなでて……。

「良平《りょうへい》、いつまで、ふろにつかってんだい。あとがつかえてるんだよ！」

とつじょ、とがった声が、湯殿《ゆどの》にひびきわたり、ハチベエは、我《われ》にかえった。浴室《よくしつ》の戸が半分ひらいて、母さんの顔《かお》がのぞいていた。

「わかったよ。うるせーなあ。ふろも、おちおちはいってられないんだもの。」

ぶつぶつ文句《もんく》をいいながらも、ハチベエはいきおいよく湯舟《ゆぶね》からとびだす。

戦争《せんそう》なんだから、やっぱり看護婦《かんごふ》がひとりやふたりいたほうがいい。よし、これから、陽子《ようこ》の家に電話してみよう。

我《われ》ながら、名案《めいあん》だ。陽子に看病《かんびょう》されるんなら、BB弾《ビービーだん》の十発《ぱつ》や二十発くらったって、どうってことないな。

おおいそぎでからだをふきながら、ハチベエは、ひそかにほくそえむのであった。

2

七月二十五日、ミドリ市はいつもの暑い一日がはじまっていた。午前《ごぜん》九時、気温《きおん》はすでに二十七度をこえ、正午前《しょうごまえ》には三十度を突破《とっぱ》した。照《て》りつける日《ひ》ざしにへきえきしたらしく、道路をあるいている通行人《つうこうにん》もまばらである。

十二時半、花山団地《はなやまだんち》のはずれ、中町《なか》のお宮につうじる山道の入り口に、ものものしいいでたちの子どもたちが、三三五五《さんさんごご》あつまりはじめた。

自転車用のヘルメットをまぶかにかぶっている子、ジャージの上下に野球帽《やきゅうぼう》をかぶり、せなかに木刀《ぼくとう》をせおった子、いずれもなにやらただならぬかっこうをしている。

やがて市営《しえい》アパートのほうから珍妙《ちんみょう》なリヤカーをおしてくる一団《いちだん》があらわれた。なかでひときわめだつのが、白い長そでシャツに、ヘルメットすがたの少年である。長そでシャツの下に、なにやら角《かく》ばったものをいれているらしく、プロテクターをつけたアメフトの選手《せんしゅ》みたいに、肩《かた》や胸《むね》が異様《いよう》にふくらんでいた。

「おそいぞ、アパート組は。」

道のそばの松《まつ》の根方《ねかた》にすわりこんでいた、野球帽《やきゅうぼう》のハチベエが立ちあがった。

「ごめん、ごめん。出がけに、パネルのネジがゆるんでたもんだから、しめなおしてたんだ。」

めがねの上から、スキー用のゴーグルをつけたハカセが弁解《べんかい》する。

「これでタイガー部隊《ぶたい》、全員集合《しゅうごう》だな。」

隊長《たいちょう》が、ひとわたり戦士《せんし》たちをながめまわす。

「ハカセ、ゆうべたのまれてた旗《はた》だけど、こんなもんでどうだ。」

馬《うま》づらの田代信彦《たしろのぶひこ》が、手に持っていた小旗《こばた》をハカセに見せる。白い布のまんなかに、マンガチックなトラの顔《かお》がえがかれていた。この少年、将来《しょうらい》マンガ家《か》になるのが夢《ゆめ》なのだ。

「軍隊《ぐんたい》の旗にしちゃあ、ちょっとかわいらしすぎるんじゃないかっていったんだけどさ。ま、このさい、がまんするか。」

ハチベエが、よこから口をだしたが、ハカセのほうは、しごくまんぞくそうに小旗をながめてから、

「これでいいよ。戦車《せんしゃ》のまえにたてよう。」

そういって、持っていた竹のぼうのさきに小旗をさしこみ、戦車のまえにくりつけた。

「ハチベエよ。出発するまえに、武器《ぶき》の点検《てんけん》と、きょうの作戦《さくせん》を相談《そうだん》しようぜ。」
二組の和泉信義《いずみのぶよし》がいった。

「そいつは、お宮の境内《けいだい》についてからだ。なあ、ハカセ。お宮から八幡谷《はちまんだに》にぬける山道だけど、その戦車《せんしゃ》だって、なんとかぬけられるんじゃないのか。わざわざ中町《なか》をまわっていくの、めんどうだし、町のなかをとおってると、敵《てき》に気づかれるかもしれないぞ。」

ハチベエとしては、一刻《いっこく》も早く戦場《せんじょう》におもむきたいのである。

じつは、ゆうべ、ハチベエは上町《うえ》に住む荒井陽子《あらいようこ》に電話したのだ。そして、できればわがタイガー部隊《ぶたい》の従軍看護婦《じゅうぐんかんごふ》として、同行《どうこう》してくれないかとたのんだのであるが、陽子の反応《はんのう》は、しごくつめたかった。

「この暑いなかで、戦争《せんそう》ごっこなんて、まっぴらだわ。あんたたち、好《す》きでやるんだから、けがするのも、しょうがないでしょう。自分で、ヨーチンでもマーキュロでも、ぬっとけば……」

ハチベエは、なおも、この戦争は花山第二小学校《はなやまだい》の名誉《めいよ》と、八幡谷《はちまんだに》におけるカブトムシ採集《さいしゅう》の安全のためにおこなわれる、正義《せいぎ》の戦《たたか》いだということを力説《りきせつ》したのだが、虫なんか、ぜんぜん興味《きょうみ》のない陽子には、とんときかめがなかった。

「とにかく、あたしは、ひまがありません。どなたか、ほかのひとをさそってください。ガチャン！」

さいごのガチャンが、陽子《ようこ》が一方的《いっぽうてき》に受話器《じゅわき》をおいた音だということは、書くひつようもないだろう。

かくして、恋《こい》にやぶれた兵士《へいし》は、ひたすら戦場《せんじょう》へいきいそいでいるのだ。

ハチベエにせかされて、部隊《ぶたい》は、セミしぐれの山道を、お宮にむかって出発した。

お宮の境内《けいだい》で、まず武器《ぶき》の確認《かくにん》をした。個人《こじん》が持っていくのは、パチンコと木刀《ぼくとう》だけだが、二年生の中村大輔《なかむらだいすけ》みたいに、とうがらしの粉《こな》をといた水入れと、水鉄砲《みずでっぽう》を腰《こし》にさしている者もいる。戦車《せんしゃ》のなかに、三十発《ぱつ》のロケット花火《はなび》をふくろにいれて、パネルの内側《うちがわ》につるしてある。ライターは、ハカセの上着《うわぎ》のポケットにはいっていた。

そのほかに、ハカセは、救急箱《きゅうきゅうばこ》や水筒《すいとう》、それに双眼鏡《そうがんきょう》と八幡谷《はちまんだに》の見取《みと》り図《ず》も持ってきていたが、双眼鏡と見取り図は、隊長《たいちょう》のハチベエにとりあげられてしまった。

「さて、これからの作戦《さくせん》だけど……。」

ハチベエが、兵士たちを見まわした。

「このさきの山道をぬけるとだな、八幡谷《はちまんだに》のこのへんに出られるんだ。谷におりたら、この川にそった道をまっすぐ進んで、連中《れんちゅう》の基地《きち》を攻撃《こうげき》する。おれの考えじゃあ、敵は基地のまわりをまもってると思うから、おれたちは戦車《せんしゃ》を先頭《せんとう》にたてて、いっきょに基地のそばまで突進《とっしん》する。もちろん、敵《てき》が出てきて応戦《おうせん》してくるけど、こっちはできるだけ近づいて、まずロケット弾攻撃《だんこうげき》をかける。そうして、あわててとびだしてくる連中《れんちゅう》をパチンコでねらい撃《う》ちするんだ。どうだ、この作戦《さくせん》……？」

ハチベエが見取《みと》り図《ず》を指《ゆび》さしながら説明《せつめい》すると、ほとんどの子が、なっとく顔《がお》でうなずいたが、二組の和泉信義《いずみのぶよし》だけは、ふまんげな顔《かお》つきで声をあげた。

「ハチベエよう。そんなにうまくいくかなあ。中《なか》町のやつら、おれたちがきょうの午後《ご》、攻撃するってことを知ってるんだぜ。おれたちが、谷にはいったとたん、一斉射《いっせいしゃ》撃《げき》ってことも、あるんじゃないの。」

「そいつは、どうかな。あいつらは基地がたいせつなんだ。だったら、兵隊《へいたい》を基地のまわりにあつめるんじゃないの。」

「だって、どうせおれたちは、谷をどんどんのぼっていくわけだからさ。むこうは、どこでまもってても同じだぜ。」

「じゃあ、おまえが大将《たいしょう》だったら、どんな作戦《さくせん》をたてるってんだ?」

「おれなら、戦車《せんしゃ》をいちばんうしろにするなあ。まず、おれたちが、敵《てき》のようすをさぐりながら、すこしずつ進んでいく。そのあとから戦車がついてくる。」

「ロケット攻撃《こうげき》は、いつやるんだよ。」

「そりゃあ、おれたちといっしょさ。ただ、味方《みかた》のいるほうにロケット弾《だん》を撃《う》ちこまないようにたのむぜ。」

どうやら、両者の対立《たいりつ》は、戦車の活用《かつよう》をめぐるあらそいのようだ。

ふたりの論争《ろんそう》に、うんざりしたらしい井上隆治《いのうえりゅうじ》が立ちあがった。

「わかった、わかった。どっちにしたって、敵さんがどこにいるか、わかんないんだろ。だったら、偵察隊《ていさつたい》をだそうや。そいで、敵がどこでまもってるかしらべてから、作戦《さくせん》をたてたらいいじゃないか。」

この意見《いけん》は、しごくもっともな意見だということになり、いいだしっぺの井上隆治と代々木真悟《よよぎしんご》が、偵察におもむくことになった。

「しまったなあ。こんなことなら、トランシーバーを持ってくればよかった。おれ、いいの持ってるんだぜ。」

代々木真悟《よよぎしんご》がぼやいたとき、二年生の中村大輔《なかむらだいすけ》が声をあげた。

「あのね、ぼくの兄ちゃん、動物の鳴きまねがうまいんだ。だから、兄ちゃんもいっしょにいって、動物の鳴き声で、合図《あいず》したらいいよ。」

大輔の発言《はつげん》に、みんなの目が兄貴《あにき》の翼《つばさ》に集中《しゅうちゅう》する。

「動物の鳴き声で合図するというのは、いいかもね。敵《てき》にもさとられないし。翼くん、ちょっとなにか、やってみて。」

ハカセがうながすと、翼は、ちょっとはにかんだようにもじもじしていたが、やがて、

「それじゃあ、まず、にわとりのまねをします。」

というと、「コケコッコーッ」と、ひと声ないてみせた。

「おまえなあ、山のなかに、にわとりがいるかよ。もっと、山のなからしい鳥はできないのか。」

井上隆治《いのうえりゅうじ》が批評《ひひょう》する。

「あ、それじゃあ。うぐいすと、からす。」

こんどは、山のなかでもきかれそうな鳴き声だった。

「ねえ、こうしよう。井上《いのうえ》くんたちが、ひと足さきに谷の入り口まで偵察《ていさつ》にいく。そこで、もし敵《てき》が待ちぶせているようだったら、うぐいすの鳴きまねをする。敵がいないようだったらからすの声……」

ハカセの意見《いけん》に、ハチベエもうなずいた。

「ようし、本隊《ほんたい》は偵察隊《ていさつたい》の十分後に出発だ。おまえら、谷についたら、そこで待ってろよ。かってに進むんじゃないぞ。代々木《よよぎ》、こいつを持っていきな。」

隊長《たいちょう》が、首にぶらさげていた双眼鏡《そうがんきょう》を偵察隊にわたした。三人は、ハチベエにむかって敬礼《けいれい》すると、雑木《ぞうき》のおいしげる山道へときえていった。

偵察隊が出発して十分後、いよいよ本隊の出発となった。ところが、これが、たいへんな行軍《こうぐん》となったのである。お宮の本殿《ほんでん》のうらから、山の斜面《しゃめん》をぐるっとまわりこむようにしながら、八幡谷《はちまんだに》のなかほどにつうじる山道は、徒歩《とほ》でのぼるかぎり、それほど苦労《くろう》するということはない。ただし、今回は戦車《せんしゃ》をおしての行軍《こうぐん》だ。

道はばがせまいうえに、両側《りょうがわ》から雑木《ぞうき》の枝や雑草《ざっそう》が道につきだしている。こいつがリヤカーの車輪《しゃりん》にまきついてくるため、なんども車をとめて、からみついた草や枝をとりのぞかなくてはならない。おまけに道の表面はでこぼこだらけだし、ときおりたおれた木が、道をとおせんぼしている。

むろん、モーちゃんひとりではとてもひっぱれないし、場所によっては、四、五人でリヤカーをかかえあげて、障害物《しょうがいぶつ》をよけなくてはならないのだ。

「だから、ぼくがいったろ。戦車は中町《なか》から八幡谷《はちまんだに》へのぼったほうがいいって。」

汗《あせ》で、めがねがはんぶん落ちかかったハカセが、ぶつぶつ文句《もんく》をいった。

「なにいってんだ。おまえだって賛成《さんせい》したんだぞ。」

これまた、汗だくになりながらリヤカーをおしているハチベエが、どなりかえす。

やっとのことでのぼり坂《ざか》がおわり、あとは谷にむかってのゆるやかなくだりになった。

そのとき、前方《ぜんぽう》のやぶのなかから、ひょっこりと井上隆治《いのうえりゅうじ》の顔《かお》があらわれた。

「なにしてんだよう。さっきから、なんべんもからすの鳴きまねしてるのにさ。」

「見りゃあわかるだろ。戦車《せんしゃ》をひっぱるのに苦労してんだ。それで、敵《てき》はどうだ。」

「それがさあ、敵なんて、ぜんぜん……。基地《きち》の見えるところまでいってみたんだけど、だれもいないみたいだぞ。」

「敵がいない？」

ハチベエは、一瞬《いっしゅん》目をぱちくりさせてから、うしろの和泉信義《いずみのぶよし》をふりかえった。

「おまえ、ちゃんと電話したんだろう。」

信義は、もちろんというようにうなずく。

「あったりまえさあ。森《もり》のやつ、わらったんだぜ。そいで、どうぞ、どうぞって……」

「へっ。誕生会《たんじょうかい》じゃあないんだぞ。どうぞ、どうぞなんてふざけてるな。よし、とにかく、こいつを谷におろそうぜ。」

ハチベエが、ぐいとリヤカーのかじぼうをひっぱった。

やっとのことで、リヤカーを谷の道路までひっぱりおろしたとき、タイガー部隊《ぶたい》のめんめんは、へとへとにつかれていた。

「あああ、ひどいめにあったなあ。戦車なんか、ひっぱってくるんじゃなかった。こんなものがなけりゃあ、今ごろ、秘密基地《ひみつきち》なんか、ぶっこわしてたのにさ。」

ハチベエが、シャツをたくしあげて、おなかや胸《むね》に風をいれる。

谷のなかは、しごく平和だった。原っぱの夏草のしげみからは、キリギリスの声がしきりにきこえ、谷のおくからは、小鳥のさえずりが風にのって流れてくる。

「第《だい》一小の子どもたち、みんな、家に帰ったんじゃないの。」

モーちゃんが、いくぶん声を低める。

「もし、あいつらがいなかったら、ハチベエ、おまえ責任《せきにん》とれよ。おれ、おまえが、たのむから助太刀《すけだち》してくれっていうから、きたんだから。べつに、リヤカーおすために、仲間《なかま》になったんじゃないからな。」

清水学《しみずまなぶ》が、じょうだんまじりにいうと、ほかの連中《れんちゅう》も、げらげらわらいだした。

「ま、いいじゃないか。もし、中町《なか》の連中がいないなら、秘密基地《ひみつきち》は、そっくりおれたちのものになるんだろ。」

「そういうこと、それじゃあ、ぼつぼついくか。」

ハチベエがいきおいよく、立ちあがった。

戦《せん》できる。


「おれたち、基地《きち》を偵察《ていさつ》してこようか。」

井上隆治《いのうえりゅうじ》がいったけど、ハチベエはとめた。

道路に出てしまえば、戦車《せんしゃ》を先頭《せんとう》にたてたほうが有利《ゆうり》だ。

もし敵《てき》が待ちぶせしていても、戦車《せんしゃ》のかげにかくれながら応《おう》

ハチベエは、そう判断《はんだん》したのである。

「進撃開始《しんげきかいし》、戦車を先頭《せんとう》に、ほかの者は、両側《りょうがわ》の敵に気をつけながら進めよ。」

隊長《たいちょう》の命令《めいれい》いっか、タイガー部隊《ぶたい》は、戦車を先頭にして、谷のおくにむかって、進みはじめた。


右手の山すそをまわりこむと、谷のいちばんおくまでがひと目で見わたせる。右手のはるか山すそに、低い石垣《いしがき》があり、その上に黄色いテントが見える。竹ざおのさきにひるがえる旗《はた》も、このあいだと同じだ。しかし、基地のそばはおろか、谷のどこにも敵のすがたは見えない。偵察隊《ていさつたい》の報告は正しいらしい。

「へっ、中町《なかまち》のやつら、おじけづいたな。モーちゃん、エンジン全開《ぜんかい》だ。」

ハチベエがさけぶと、タイガー部隊《ぶたい》の兵士《へいし》たちも歓声《かんせい》をあげて、かなたの基地《きち》めがけてかけだした。むろん、モーちゃんも、ひっしでリヤカーをおす。まわりの子どもたちも、リヤカーのかじぼうに手をそえて、わっしょいわっしょいかけ声《ごえ》をかけながら、リヤカーをおす。今や戦車《せんしゃ》は、フルスピードで谷の道をつっぱしっていた。

3

ドラゴン部隊《ぶたい》の基地まで三十メートル。基地のまわりをとりまく石垣《いしがき》の石のひとつひとつまで、はっきりとかぞえられる距離《きょり》まで近づいていた。

まったくとつぜん、戦車が大きく右にかたむいた。つぎの瞬間《しゅんかん》、車輪をのせていた地面が、バリバリと音をたてながら陥没《かんぼつ》したかと思うまもなく、車体がまえのめりにつんのめりながら、地面にすいこまれてしまった。

地面だと思っていたのが、ダンボール板の上にうすく土をしいたにせものの地面で、その下に、たて一メートル、よこ二メートルにもおよぶ、かなり深いおとし穴《あな》がほってあったと気づいたのは、あとになってからだった。

戦車《せんしゃ》が前半分を穴に落とし、ほとんどさかだち状態《じょうたい》になったとたん、道の両側《りょうがわ》から、ときの声が起こった。左右の草むらのなかから、銃《じゅう》をかまえた敵兵《てきへい》がすがたをあらわし、いっせいにBB弾《ビービーだん》の雨をふらせてきたのである。

いったい、なにが起きたのか。タイガー部隊《ぶたい》の戦士《せんし》たちは、たてつづけに起こった異変《いへん》に、すっかりあわててしまった。弾《たま》のあたった子が、悲鳴《ひめい》をあげて戦車のかげにかくれる。と、その子をつきころがして、べつの子がかくれようとする。

さすが、隊長《たいちょう》のハチベエだけは、パチンコをかまえて、応戦《おうせん》をこころみた。が、パチンコをかまえ、ねらいをさだめようとしたとたん、BB弾が、指のさきに命中《めいちゅう》し、思わずパチンコをとりおとしてしまった。

あわててパチンコをひろいあげようと、からだをかがめたとたん、こんどはおしりに弾があたる。

「みんな、戦車からはなれろ。草むらのなかにちらばれ。」

ハチベエは、そうどなりながら、道のそばの草むらにとびこんだ。草のたけは、せいぜいひざくらいしかないから、とてもからだをかくせる高さじゃない。

中町《なか》の連中《れんちゅう》は、こんな草むらにどうやってかくれていたのだろう。ハチベエの頭に、ちらりと疑問《ぎもん》がわいたが、今は、そんなことを考えているひまはなかった。草のなかにねそべって、なんとかエアガン攻撃《こうげき》から身をまもりながら、戦車《せんしゃ》のほうをふりかえった。戦車のまわりでうろうろしていた連中《れんちゅう》も、ようやく事態《じたい》をさとったらしい。

ひとり、またひとりと、草むらのなかに逃《に》げこみはじめた。

すると、それまで戦車のまわりを遠まきにしていた敵《てき》の兵士《へいし》たちが、こんどは谷に、一列にならび、草むらにちらばった味方《みかた》をねらい撃《う》ちしはじめた。

ハチベエのまわりにも、BB弾《ビービーだん》がうなりをたててとんでくる。ほんのちょっと頭をだしたとたん、ぼうしのどまんなかに、バシッと弾《たま》があたった。

いったん、草むらに身をふせてしまうと、もう身動きができない。思いきって谷のはしっこまで走って、山の斜面《しゃめん》に逃《に》げこむか、それとも、すきを見てパチンコで応戦《おうせん》するか、なんとかつぎの行動を起こさなくてはならないのだが、頭の上をかすめる弾の音や、目と鼻《はな》のさきの草の葉がぱっとちるのを見ると、つい、からだがすくんでしまうのだ。

タイガー部隊《ぶたい》は、今やかんぜんに動きを封《ふう》じられてしまったのである。

そのとき、かなたの基地《きち》のあたりから、ききおぼえのある声がきこえてきた。

「おーい、どうした。もう降参《こうさん》したのか。いくじがねえなあ。」

あれは、たしか黒いシャツを着ていたやつの声だ。と、こんどはべつの声がひびく。

「降服《こうふく》するのなら、今のうちだぞ。十かぞえるあいだに、両手をあげて道の上に出てこい。降服しないなら、総攻撃《そうこうげき》をかける。」

森茂男《もりしげお》という、中学生の声だ。

「ひとーつ、ふたーつ、みっつ……。」

中町《なか》の子どもたちが、声をそろえて数をかぞえだした。

くそっ、降服なんて、まっぴらだ。

ハチベエは、そくざに決断《けつだん》した。こうなったら、突撃《とつげき》あるのみ。

中町《なか》の子が、七つまでかぞえたとき、ハチベエは、腰《こし》にさした刀《かたな》をひきぬくと、もうぜんと草むらからとびだした。

「みんな、つっこめ――」

木刀《ぼくとう》をふりかざし、一列にならんだ敵《てき》にむかって、しゃにむに走る。ハチベエの背《はい》後《ご》で、わーっという歓声《かんせい》がおこった。タイガー部隊《ぶたい》の兵士《へいし》も、隊長《たいちょう》の勇気にはげまされて立ちあがったらしい。

敵が、さっと銃《じゅう》をかまえた。たちまち、ハチベエのからだのあちこちに痛《いた》みがはしる。だが、ハチベエは立ちどまらなかった。

「ウオーッ。」

と、声をあげながら木刀《ぼくとう》をふりかぶり……。

とつじょ、ハチベエはもんどりうって転倒《てんとう》した。草むらのなかに、直径《ちょっけい》一メートルくらいの深い穴《あな》がすえられていたのだ。さいわいいきおいがついていたので、穴のなかに落ちることはなかったけれど、右のむこうずねをしたたか打ってしまい、とっさに立ちあがることもできない。むろん、木刀なんてどこかにとんでいってしまった。

ころがったハチベエのまわりに、敵が殺到《さっとう》してきた。敵もいつのまにか、銃のかわりに竹のぼうや木のぼうをつかんでいる。そして、ハチベエのからだめがけて、ふり

おろしてきた。

これには、さすがのハチベエもおったまげてしまった。足のいたいのもわすれて、もときたほうに逃《に》げだした。

ハチベエの背後《はいご》から、敵《てき》が追いかけてくる。追いついたひとりが、なぐりかかったらしい。右肩《みぎかた》に、ガツンと痛《いた》みがはしったが、ハチベエはふりむきもしなかった。

見れば、味方《みかた》の連中《れんちゅう》も、いっせいに逃《に》げだしていた。

やっとのことで、中町《なかまち》のお宮につうじる山道の入り口にたどりついた。ふりかえると、数人《すうにん》の敵が、つい目と鼻《はな》のうしろにせまり、立ちどまったハチベエめがけて、またもや発砲《はっぽう》してきた。

ハチベエは、あわてて山道にかけこんだ。

せまい坂道を五十メートルばかり走ったところで、息がつづかなくなった。道ばたにたおれこむようにすわりこむ。

さいわい、敵も山道の入り口あたりで、追跡《ついせき》を中止したらしい。

敵が追ってこないとわかったとたん、からだのあちこちがいたみだした。ころんだときに打ったむこうずね、中町《なか》の子に、木刀《ぼくとう》でたたかれた肩《かた》、それに全身《ぜんしん》にうけた銃《じゅう》弾《だん》のあと……。

それにしても、タイガー部隊《ぶたい》の逃《に》げ足《あし》の速いこと。隊長《たいちょう》をほっぽらかして退却《たいきゃく》するなんて、もってのほかだ。

ハチベエは、いたむ足をひきずりながら、山道をのぼりはじめた。

と、目のまえの木のかげから、ひょいと子どもの顔《かお》がのぞいた。六年の田代信彦《たしろのぶひこ》だ。

「ハチベエ、だいじょうぶだった？」

「だいじょうぶじゃないよ。なんだよ、おまえら。かってに逃《に》げだしやがって。」

みると、十人ほどの兵士《へいし》たちが、せまい山道にしゃがみこんでいる。いずれもタイガー部隊の戦士《せんし》だ。

「ああ、ひどいめにあったなあ。きゅうにリヤカーがころがっちまったろ。どうしたんだろうと思ったとたん、ここんとこ撃《う》たれたんだ。ああ、まだ血《ち》が出てる。」

二組の志喜屋守《しきやまもる》が、ほっぺたにあてていたハンカチをのぞいて顔をしかめる。

「そんなかすり傷《きず》で、がたがたさわぐな。おれなんか、木刀《ぼくとう》でなぐられたんだぞ。だいたいな、おまえら、度胸《どきょう》がなさすぎるぞ。どうして、おれといっしょにつっこまなかったんだ。あのとき、つっこんでたら、あいつらもエアガンがつかえないから、木刀《ぼくとう》でたたかうほかなかったんだぜ。そうなったら、五分五分《ごぶごぶ》の勝負《しょうぶ》ができたのに……」

ハチベエは、だんだん腹《はら》がたってきた。きょうの敗北《はいぼく》の原因《げんいん》は、ようするに味方《みかた》の精神力《せいしんりょく》の弱さではなかろうか。ふいに出現《しゅつげん》した敵《てき》に腰《こし》をぬかしてしまい、とっさの反《はん》撃《げき》もできない。

なんとか反撃をはじめたと思ったら、とちゅうで味方《みかた》をおきざりにして逃《に》げてしまう。

「やっぱり、おれがいったとおり、戦車《せんしゃ》をうしろにもっていったほうがよかったな。ようするに作戦《さくせん》敗《ま》けだぜ。」

和泉《いずみ》信義《のぶよし》が、じろりとハチベエを見た。

「へえ、よくいうよ。それじゃあおうかがいしますが、おまえ、敵をひとりでもやっつけたのか。おまえ、敵がとびだしたとたん、まっさきに、戦車のかげにかくれたじゃないか。」

「おれは、かくれてなんかいないぞ。かくれたのは、清水《しみず》、おまえだよな。」

きゅうに名前を呼《よ》ばれた清水学《しみずまなぶ》が、あわてたようにあたりを見まわす。

「お、おれは戦車《せんしゃ》を穴《あな》からひっぱりあげようとしてたんだぞ。そしたら、だれかが、おれをつきとばしたんだ。中森《なかもり》、知ってるな。おれ、すぐに草むらにはいって、パチンコで応戦《おうせん》したよなあ。」

学は、となりでうつむいていた中森晋助《なかもりしんすけ》の肩《かた》をゆする。

「そういやあ、ハカセやモーちゃん、どうしたんだ。」

ふと、井上隆治《いのうえりゅうじ》が顔《かお》をあげた。

「あいつら、逃《に》げ足《あし》が速いから、お宮までもどったんじゃないの。」

だれかが、わらいながらこたえる。と、四年生の中村翼《なかむらつばさ》が、おずおずと口をひらいた。

「あのさあ。いちばんはじめに逃《に》げたの、ぼくと弟なんだ。大輔《だいすけ》が撃《う》たれて、泣《な》きそうになってたから、ぼく、弟を連れて逃げたんだよ。モーちゃんや、ハカセちゃんは、まだ戦車《せんしゃ》のところにいたと思うけど……」

「そうすると、あいつら、まだ谷にのこってるっていうのか。」

ハチベエは、思わず山道をふりかえる。うっそうとした雑木林《ぞうきばやし》は、しんと静まりかえり、小鳥の声もきこえない。

「やばいぜ。ハチベエ、あのふたり、つかまったんじゃないの。」

中森晋助《なかもりしんすけ》が立ちあがった。

「ちょっと、ようす見てこようか。」

声につられて、清水学《しみずまなぶ》と田代信彦《たしろのぶひこ》も立ちあがった。

「まて、待て。あんまりおおぜいでいくと、敵《てき》に見つかっちまうからな。うん、おれと中森《なかもり》でいってみらあ。おい、だれか木刀《ぼくとう》もってないか。」

ハチベエは兵士《へいし》たちを見まわした。しかしだれひとりとして、木刀を持っているものはいなかった。さきほどの戦闘《せんとう》で、武器《ぶき》も投げすてて逃《に》げだしたものらしい。

4

ついさっき三十分前、ファイトまんまんでくだっていった八幡谷《はちまんだに》への山道を、ハチベエたちは今や、おっかなびっくりでくだっていく。

もしかしたら、敵《てき》の追跡部隊《ついせきぶたい》がのぼってくるかもしれないのだ。

山道がなだらかになり、いくぶん広くなった。あとすこしして谷に出る。

ふと、前方《ぜんぽう》でカサコソと木の葉のすれあう音がした。なにものかが、こちらにのぼってくる。

ハチベエは、とっさに道のそばのしげみに身をかくす。むろん中森晋助《なかもりしんすけ》も、それにならった。

山道の下から二つの白い人影《ひとかげ》があらわれ、のろのろとのぼってくるのが見えた。先《せん》頭《とう》は、めがねのハカセ。うしろにしたがうのは、モーちゃんにちがいない。問題《もんだい》は、そのスタイルである。

さいしょ、ハチベエはふたりが上着《うわぎ》をぬいで、上半身《じょうはんしん》はだかになったのだろうと思った。が、ふたりが近づいてきて、その全身像が下草や木の葉のかげからすっかりあらわれたとき、ハチベエの予想《よそう》は、いくぶんはずれていたことがわかった。ふたりは、上半身だけでなく、下半身まで、すっかりはだかになっていたのである。

「お、おまえら、なんてかっこうしてんだ。」

道にとびだしたハチベエに、ふたりがあわてたように両手で前をかくす。

「ハ、チ、ベエちゃん……」

モーちゃんが、くすんとしゃくりあげた。

「ハチベエくん、なにか、なにか、ない。ズボンとか……。タオルでもいいよ。」

ハカセも、なんともあわれな声をだした。

「う、うん。ええと、まてよ。よし、こいつを腰《こし》にまけよ。ほら、中森《なかもり》、ぼやっとしてないで、シャツをぬいで、モーちゃんにかしてやんな。」

晋助《しんすけ》をどなりつけておいて、ハチベエは大いそぎでシャツをぬぐと、ハカセに手わたした。ハカセが、手ばやくそれを腰《こし》にまきつける。

モーちゃんも、晋助からもらったシャツをおなかの下にまいた。なんとなく化粧《けしょう》まわしをしたおすもうさんといった感じが、しないでもない。

なんとか、かくすべきところをかくしたふたりをむかえた、タイガー部隊《ぶたい》のメンバーは、はじめこそ、あっけにとられたような顔《かお》をしていたが、そのうち、あちこちで笑《わら》い声《ごえ》がおこった。

「どうしたんだよ。逃《に》げるとき、パンツまでぬいじゃったの。」

「そうじゃないだろう。中町《なか》のやつらにぬがされたんじゃないのか。なあ、モーちゃん。」

「おまえら、ドジだよ。早いとこ逃《に》げりゃあよかったのに。」

「だけど、はだかにされただけで、よく許《ゆる》してもらえたなあ、半殺《はんごろ》しにされたんじゃないかって、心配《しんぱい》してたんだぜ。」

みんなが口ぐちにしゃべりだしたとたん、ハカセの金《かな》きり声《ごえ》が爆発《ばくはつ》した。

「きみたち、ぼくらがどんなひどいめにあったか、わかってるのかい。ぼくら、第一《だい》小の子どもたちのいるまえで、はだかにされたんだよ。そいで、はだかのまんま、走らされて……。」

ハカセの声が、とちゅうからなみだ声《ごえ》にかわり、それっきりとだえる。と、こんどはモーちゃんが、ゆっくりと口をひらいた。

「ぼくとハカセちゃんは、戦車《せんしゃ》を穴《あな》からひっぱりあげて、そいで、ロケット攻撃《こうげき》をしようと思ったんだ。そしたら、もうみんないなくなってたんだよ。それから、ふたりともつかまって、基地《きち》のまえに連れてかれて……。戦車《せんしゃ》も、ロケット花火《はなび》も、とられちゃったんだ。」

だれもが、すこしのあいだだまりこんだ。

「でもさあ、とにかくぶじに帰ってこられたんだからさあ。」

清水学《しみずまなぶ》が、とりなし顔《がお》でいうと、ほかの子どもたちも、うなずいた。

「こんなとこにすわっててもしょうがないぜ。とにかく、もどろう。」

ハチベエの声に、一同《いちどう》は力なく立ちあがり、山道をあるきはじめた。

午後《ごご》の日《ひ》ざしが、戦闘《せんとう》につかれた兵士《へいし》たちのからだに、ようしゃなく照《て》りつける。

やっとのことで花山団地《はなやまだんち》にたどりついたとき、さすがのハチベエも、口をきくのもおっくうなほどくたびれていた。ほんらいならば、兵士たちをあつめて、本日《ほんじつ》の戦闘《せんとう》について演説《えんぜつ》のひとつもやりたいとこだけど、その元気もない。

ハカセやモーちゃんは、一刻《いっこく》も早くわが家《や》にもどりたいらしく、さよならもいわず、小走《こばし》りにアパートのほうに去っていったし、ほかの連中《れんちゅう》も、なんとなく気のぬけたようすでそれをながめている。

「きょうのとこは、これで解散《かいさん》しようぜ。これからのことは、また相談《そうだん》しよう。」

ハチベエは、隊員《たいいん》にむかってそれだけいうと、とめてあった自転車のほうにもどりかけた。

「ハチベエよう。」

うしろで声がした。ふりかえると和泉信義《いずみのぶよし》と志喜屋守《しきやまもる》が立っていた。

「おまえ、まだ中町《なか》の連中《れんちゅう》とやりあうつもりか。」

「そりゃあ……。」

ハチベエは、ひと呼吸《こきゅう》すると、こたえた。

「このまま、ひきさがるわけにはいかないだろ。このつぎは、もっと作戦《さくせん》をたててから、ちゃんと訓練《くんれん》してから、攻《せ》めこんだほうがいいと思うな。」

……。うん、
信義が、ため息《いき》をついた。

「悪いけど、おれと守《まもる》は、おろさせてもらうよ。やるんなら一組の連中《れんちゅう》だけでやってくれ。」

「一組ったって……。クラスなんて関係《かんけい》ないだろう。」

「だってさあ、ほかの六年は、みんな一組じゃないか。なんだか、ぼくらだけちがうみたいだし……」

守《まもる》が、ぼそぼそとこたえる。

「そんなことないぜ。五年のゲタや松崎《まつざき》だっているし、中村《なかむら》兄弟なんて四年と二年だぜ。」

ハチベエが反論《はんろん》するのを、信義《のぶよし》が手で制《せい》した。

「はっきりいうとな、おまえと組んでると、ろくなことがないってことさ。きょうだって、うまいことやりゃあ、あんなひどいめにあうことなかったんだ。だいたいな、中《なか》町の連中《れんちゅう》は、おまえが考えてるほど、バカじゃないんだぜ。」

信義は、ハチベエの反応《はんのう》をさぐるように、じっとつっ立っている。

ふだんのハチベエならば、ここでマシンガンのごとき文句《もんく》をならべたてるか、それとも実力行使《じつりょくこうし》におよぶところだろう。もっとも信義だって、二組のなかでは、けっしておとなしいほうじゃない。しかもそばには守《まもる》もついてるから、ハチベエの対応《たいおう》のし

かたでは、なぐりあいに発展《はってん》してもかまわないと思っているのかもしれない。

が、ハチベエは、意外《いがい》とあっさりうなずいた。

「わかった。じゃあな……」

かた手《て》をあげると、自転車にとびのった。

古人《こじん》いわく、敗軍《はいぐん》の将《しょう》、兵《へい》を語《かた》らず……。

もっともハチベエには、そんな高尚《こうしょう》な精神《せいしん》があったわけじゃない。むこうずねや肩《かた》がずきんずきんいたむし、のどもかわいている。なにより、中町《なか》の子どもをまえにして、すたこら逃《に》げだした自分に、いやけがさしていたのだ。だから、和泉信義《いずみのぶよし》ごときにとやかくいわれても、さほど気にもならなかっただけである。

戦争《せんそう》というものは、肉体《にくたい》を傷《きず》つけるだけでなく、精神《せいしん》も傷つけるものらしい。

精神の傷ということでは、もっとも痛手《いたで》をこうむったのが、ハカセとモーちゃんだろう。

戦車《せんしゃ》が落《お》とし穴《あな》につっこんだとき、荷台《にだい》にのっていたハカセは、その反動《はんどう》で二メートルばかり前方《ぜんぽう》の地面にたたきつけられてしまった。やっとこさ起きあがったときには、もう戦闘《せんとう》がはじまっていた。

しかし、ハカセにとっては、戦闘よりも戦車《せんしゃ》のことが気になった。せっかくアイディアをしぼって製作《せいさく》した戦車が、はたしてぶじだったかどうか。荷台《にだい》にのせておいたロケット発射台《はっしゃだい》はこわれていないか。

ふと、そばの小川のなかに、ロケット弾発射台《だんはっしゃだい》がころがっていた。転倒《てんとう》のはずみでとばされたらしい。すぐさま小川にとびおりて、発射台をひろいあげる。さいわい、どこもこわれているようすもなかった。いそいで戦車のそばにかけもどると、仲間《なかま》のほとんどは、草むらにちらばってしまい、モーちゃんひとりが、うんうんうなりながら、リヤカーを穴からひきあげようとしていた。

ハカセもてつだって、なんとか道の上にのせる。荷台《にだい》のまわりのベニヤ板も、ほとんどはずれている。ハカセは、大いそぎでベニヤ板をはりなおした。

ふしぎなことに、ふたりのまわりは、まったく平穏《へいおん》だった。戦闘は、戦車からいくぶんはなれた草原でおこなわれているせいもあるだろうし、敵《てき》も、いまさらこわれかけた戦車などに攻撃無用《こうげきむよう》と思ったのだろう。ハカセとモーちゃんは、敵にまどわされることなく、戦車《せんしゃ》の修理《しゅうり》に専心《せんしん》できたのであるが、あんまりむちゅうになったおかげで、味方《みかた》の敗走《はいそう》すら気がつかなかった。

だから、ロケットの発射台《はっしゃだい》をとりつけて、さあ攻撃再開《こうげきさいかい》だと意気《いき》ごんであたりを見まわして、がくぜんとなってしまった。今しも、味方の連中《れんちゅう》が、いちもくさんに後方《こうほう》に逃《に》げていき、そのうしろから十人ばかりの敵《てき》が歓声《かんせい》をあげて追っている。そして、のこった敵が銃《じゅう》をかまえて、戦車のまわりにかけよってくるところだった。

「よう、おふたりさん。おまえらは逃げないのか。」

黒シャツが、にやにやしながら近づいてくる。

「どうする。そのリヤカーでたたかうのかよ。それとも降参《こうさん》するか、どっちだ。」

ハカセとモーちゃんは、顔《かお》を見あわせた。ここにおよんでロケット弾《だん》を発射《はっしゃ》しても、むだだろう。

「はやいとこ、きめろよ！」

黒シャツが、リヤカーの車輪《しゃりん》をけとばしたとき、ハカセは決心《けっしん》した。荷台《にだい》の上に立ちあがり、高だかと両手をあげたのである。

「ようし、武器《ぶき》をおいて、リヤカーを基地《きち》までひっぱってこい。へんなまねするなよ。」

黒シャツはそう命《めい》じてから、リヤカーのまえにさしてあったタイガー部隊《ぶたい》の旗《はた》を、むしりとった。

敵《てき》にかこまれ、リヤカーをひっぱったふたりが、基地のまえに到着《とうちゃく》すると、石垣《いしがき》の上には、このあいだの中学生が腕組《うでぐ》みをして立っていた。

「なんだ、こないだのふたりか。八百屋《やおや》の子どもはどうした?」

「ハチベエは、もう逃《に》げちまったみたいだよ。」

黒シャツが、かわってこたえる。

「あいつをつかまえりゃあよかったのに……。こんなくずじゃあ、てがらにならないぞ。」

「第《だい》二小の連中《れんちゅう》は、逃《に》げ足《あし》が速いからね。でも、このリヤカー、ちょっとおもしろいよ。ほら、ロケット花火を撃《う》てるようになってる。」

黒シャツが、荷台《にだい》の発射台《はっしゃだい》をぐるぐるまわしてみせたが、隊長《たいちょう》は鼻《はな》を鳴らしただけ

だった。

「戦車《せんしゃ》で攻《せ》めてくるっていってたの、そのことか。そんなちゃちなもので、ドラゴン部《ぶ》隊《たい》が攻撃《こうげき》できるなんて考えてるのかね。おい、おまえたち。」

隊長《たいちょう》が、じろりとハカセとモーちゃんを見た。

「八百屋《やおや》の子どもにいっとけ。こんど攻めてくるときには、もっとましな兵隊《へいたい》を連れてこいってな。いつでもあいてになってやるぞ。」

隊長の中学生は、もう用がすんだような顔《かお》で、腕組《うでぐ》みをといた。

「隊長、捕《ほ》りょは、どうする。逃《に》がしてやるの。」

黒シャツが、あわてたように質問《しつもん》した。

「そうだな。」

隊長は、ちょっと考えるように、ハカセとモーちゃんを見おろしたが、すぐに口をゆがめた。

「ただ釈放《しゃくほう》するわけにはいかないなあ。服やズボンは没収《ぼっしゅう》しろ。」

「おもしろいや。ついでにパンツも没収しちまおうぜ。おい、こいつらの服をぬがしちゃえ。」

黒シャツの命令《めいれい》いっか、まわりの子どもたちが、ワッとばかりふたりにとびかかってきた。

「やめて――」

モーちゃんの悲鳴《ひめい》も、子どもたちの声にかきけされてしまった。

たちまちのうちに、ふたりは上着《うわぎ》もシャツも、パンツもぬがされ、みじめなかっこうで地面によこたわっていた。

「おい、くつとめがねはかえしてやれよ。」

黒シャツがわらいながらいうと、兵士《へいし》のひとりが、ハカセの顔《かお》のところにめがねとくつをおいた。ハカセはいそいでめがねをかけ、くつをはくと、かたわらで、いまだまえをおさえてうずくまっているモーちゃんの肩《かた》をたたいた。

「モーちゃん、帰ろう。」

両手で下半身《かはんしん》をおさえてあるきだしたふたりのまわりを、子どもたちが、ワイワイさわぎながらついてくる。ふたりは、せいいっぱいのスピードで走っているつもりだが、なにしろスタイルがスタイルだけに、うまく走れない。

「やーい、もう、くるなよう。」

「バンザ――イ、ドラゴン部隊《ぶたい》、バンザ――イ。」

子どもたちの笑《わら》い声《ごえ》、ひやかしの声を全身に感じながら、ハカセは、ぐっと歯をくいしばり、ひっしで走った。

そして、かたく、かたく決意《けつい》したのである。

「このしかえしは、ぜったいしてやるぞ！」

三、くノ一《くのいち》登場《とうじょう》

1

「おそいなあ。みんな、なにやってんだ。」

ハチベエが、いらいらとあるきまわりながら、団地《だんち》のほうをながめた。

約束《やくそく》の時間は、もうとっくにすぎているというのに、団地のはしっこにあるあき地《ち》にあつまってきているのは、ハカセとモーちゃん、それに五年の貝原勇介《かいばらゆうすけ》と松崎浩司《まつざきこうじ》、あとは中村翼《なかむらつばさ》、大輔《だいすけ》兄弟といった団地のグループばかりで、井上隆治《いのうえりゅうじ》たち六年一組の男の子たちは、ひとりもやってこないのだ。

「和泉《いずみ》くんや志喜屋《しきや》くんも、こないね。」

モーちゃんが、だれともなしにつぶやくのを、ハチベエが制《せい》した。

「あいつらは、いいんだ。あいつら、きのうの帰りに、いってたからな。もう、おれ

たちとはつきあわないって。」

「田代《たしろ》くんや中森《なかもり》くんは？」

ハカセがたずねる。

「あいつらは、そんなことといってなかったぞ。おれ、けさ電話したんだから。清水《しみず》には、ラジオ体操《たいそう》のとき、ぜったいこいよっていっといたんだ。くそう、あいつら、ビビリやがったのかな。」

ハチベエは、ふたたび団地《だんち》のほうを見た。

きのうの大敗北《だいはいぼく》では、ハチベエもかなりのダメージをうけたが、家にもどって一時間もすると、しだいに自信《じしん》とファイトがよみがえってきた。そして、一夜あけると、かんぜんにたちなおり、つぎなる決戦《けっせん》のために、隊員《たいいん》たちに集合《しゅうごう》を命《めい》じたのだが……。

「だけど、こまったなあ。これだけじゃあ、八幡谷《はちまんだに》には攻《せ》めこめないし……」

ふりかえって、木《こ》かげにしゃがみこんでいる隊員をながめまわした。六年生といっても、ハカセとモーちゃんでは、あまりたよりになりそうにない。四年の中村翼《なかむらつばさ》や二年の大輔《だいすけ》はふろくみたいなものだから、実際的《じっさいてき》な戦力《せんりょく》となると、貝原勇介《かいばらゆうすけ》と松崎浩司《まつざきこうじ》だけということになるが、このふたりも、しょせん五年生だ。

「ぼくが、もういちど電話してみようか。」

モーちゃんが立ちあがりかけたが、ハチベエは首をふった。

「やめとけ、やめとけ。それより、もっとほかの連中《れんちゅう》をさそってみよう。おれ、五、六人、あてがあるから。」

「それは、どうかなあ。また、きのうと同じ結果《けっか》になるんじゃないの。」

と、これはハカセの意見《いけん》だ。

「ぼく、ゆうべ考えたんだけどね。中町《なか》の子って、すごく訓練《くんれん》されてるだろ。だから、いくらおおぜいで攻《せ》めていっても、むつかしいと思うんだ。」

「へっ、おまえもヌードにされて、すっかりビビっちまったのかよ。」

ハチベエが歯をむきだした。

ハカセは、ぱっと顔《かお》を赤くすると、憤然《ふんぜん》とした口調《くちょう》で反論《はんろん》した。

「そんなこと、いってないだろ。ぼくはただ、きのうの戦闘結果《せんとうけっか》を分析《ぶんせき》しただけさ。いっとくけど、ぼくやモーちゃんは、きみみたいに逃《に》げだしたわけじゃないよ。さいごのさいごまで、敵《てき》とたたかおうとしてたんだからね。」

「へっ、たたかったって？　戦車《せんしゃ》、修理《しゅうり》してただけじゃないか。おれなんか、エアガンの集中攻撃《しゅうちゅうこうげき》をうけて、そのうえ、木刀《ぼくとう》でなぐられたんだぞ。これがほんものの戦争《せんそう》なら、とっくの昔《むかし》に死んでしまってるとこだ。おまえみたいに、撃《う》たれるまえに捕《ほ》りょになったのと、わけがちがわあ。せいいっぱいたたかって、そいでしかたなく退《たい》却《きゃく》したんだからな。」

ハチベエも負けていない。

「じゃあいうけど、なぜ退却するとき、ぼくらに知らせてくれなかったんだい。きみは、隊長《たいちょう》なんだろ。隊長のくせに、味方《みかた》が戦場《せんじょう》にのこってるのを見殺《みごろ》しにしたってわけ。だいたいね、きみの作戦《さくせん》はさいしょからまちがってたの、わかんないの。まるで、昔の日本軍じゃないか。ろくに敵の戦力《せんりょく》もわかんないで、むやみに突撃《とつげき》して……。あげくのはてに、部下《ぶか》をほっといて、逃げだすなんてさ。」

「へっ、よくいうよ。きのうのおまえのかっこう、写真に撮《と》っときゃよかったなあ。そうすりゃあ、おれのまえで、大きな口、たたかなかったろうぜ。」

ハチベエが、ばか笑《わら》いしたとたん、モーちゃんが、いつになくきびしい声をあげた。

「やめてよ、ハチベエちゃん！」

モーちゃんは、まんまるい顔《かお》をひきしめて、ハチベエをにらんでいる。

「いま、仲間《なかま》どうしでけんかして、どうするんだい。中町《なか》の子に、しかえしするの、しないの。」

ふだんは、めったに怒《おこ》らないモーちゃんのするどい声に、さすがのハチベエもばか笑いをやめた。

「わかったよ。たしかにきのうは、おれもまずかったなって思ってるんだ。おまえらのこと、気がつかなくてさ。それに……、やっぱり偵察隊《ていさつたい》をだしゃあよかったなあ。そうすりゃあ、落《お》とし穴《あな》のこともわかったと思うんだ。くそう、あの落とし穴さえなかったらなあ。戦車《せんしゃ》で攻撃《こうげき》できたのに……。あいつら、いつ、あんな落とし穴ほったのかな。こないだのときは、あんなのなかったぜ。」

「そのことなんだけど……」

冷静《れいせい》さをとりもどしたハカセが、口をひらいた。

「森《もり》っていう中学生ね、戦車《せんしゃ》のこと、知ってるみたいだったな。もしかしたら、和泉《いずみ》くんが電話でしゃべったんじゃないの。」

「和泉が?」

「だから、戦車用の落《お》とし穴《あな》の準備《じゅんび》して、待ちかまえてたんだと思うんだ。」

「けっ、あのおしゃべりめ。なにが、作戦《さくせん》の失敗《しっぱい》だよ。中町《なか》のやつらにやられたのは、あいつのせいじゃないか。」

ハチベエがじだんだふんでくやしがるが、これは、あとの祭りというやつだ。

広場は、しばし沈黙《ちんもく》にとざされ、きこえてくるのはセミの声ばかり……。

「やっぱり、無理《むり》なのかなあ。ぼくらじゃあ。」

五年の貝原勇介《かいばらゆうすけ》が、ほっとため息《いき》をついた。

「まともに攻《せ》めるのは無理《むり》でも、奇襲作戦《きしゅうさくせん》という手があるんじゃないの。」

ハカセが、ゆっくりといった。

「ねえ、ねえ、忍者《にんじゃ》みたいに、こっそりしのびこんでやっつけたら。」

二年生の大輔《だいすけ》が、黄色い声をあげた。

「あ、それなら、ぼくらでもできるかもね。夜中なら、中町《なか》の子もいなくなるからさ。テントも小屋も、燃《も》やしちゃおうよ。」

五年の松崎浩司《まつざきこうじ》が、目をかがやかせる。

「あのね、もし、山火事にでもなったら、どうするの。警察《けいさつ》につかまっちゃうよ。」

モーちゃんが、たしなめた。

「いいか、あいつらのいないときに攻《せ》めこんでも、無意味《むいみ》なんだからな。中町の連中《れんちゅう》に『まいった』っていわせなきゃあ、勝ったことにならないんだ。」

ハチベエの意見《いけん》に、いったん元気づいた戦士《せんし》たちも、ふたたびだまってしまった。

が、やがてハカセがしゃべりだした。

「しかしね、このメンバーで八幡谷《はちまんだに》に攻撃《こうげき》をしかけるとなると、やっぱり奇襲戦法《きしゅうせんぽう》か ゲリラ戦《せん》しかないんじゃないの。」

「へえ、おまえも忍者《にんじゃ》やりたいわけ?」

「忍者ってことじゃないけどね。すくなくとも、きのうみたいな正面攻撃《しょうめんこうげき》は不可能《ふかのう》だと思うんだ。ということは、連中《れんちゅう》のゆだんしてるすきに、そっとしのびよって攻撃するとか、なにかくふうして、敵《てき》の戦力《せんりょく》を弱めなきゃあ。」

「そのくふうってのを、きこうじゃないか。」

「すぐに思いつくくらいなら、さいしょに説明《せつめい》してるよ。思いつかないから、こまってるんじゃないの。」

ハカセが口をとじると、またもや沈黙《ちんもく》……。

こんど沈黙をやぶったのは、モーちゃんだった。

「あのさあ、やっぱり忍者《にんじゃ》がいいよ。」

みんなが、おやっというようにモーちゃんを見た。

「忍者といってもね、べつにドロンドロンてきえるんじゃないんだよ。あれは、あいてのすきを見て、すばやくものかげにかくれるんだって。それからね、忍者が黒装束《くろしょうぞく》を着てるのは、あれはうそだってね。ほんとうは柿色《かきいろ》っていって、赤っぽい茶色なんだって、そのほうが暗闇《くらやみ》では、見えにくくなるんだ。ああ、そうそう忍者って、テレビじゃあ、せなかに刀《かたな》をしょってるよねえ。あれもうそなんだ。あんなことしたら、せまいとこやてんじょうの低いところとおりぬけるのに、じゃまになるだろ。刀は、

やっぱり腰《こし》にさしたらしいなあ。」

モーちゃんのながながとした忍者談議《にんじゃだんぎ》に、ハチベエが口をはさんだ。

「わかった、わかった。それで忍者になって、なにをやらかすのさ。」

「そりゃあ、もちろん、敵《てき》のようすをさぐるんだよ。基地《きち》のことや、ドラゴン部隊《ぶたい》が、どんな訓練《くんれん》してるとか……。」

「基地のことをさぐるってのは、いいな。そうだおれ、突撃《とつげき》してたとき、草むらのなかに穴があって、そこに落っこちたんだけどよ。あの草っ原には、あっちこっち、穴がほってあるんじゃないのか。敵は穴にかくれてたから、おれたちに見えなかったんだと思うなあ。」

ハチベエが賛成《さんせい》の意見《いけん》をはくと、ハカセも大きくうなずいた。

「たしかに、まず敵について情報《じょうほう》をあつめるべきだね。そうすれば、敵の弱点《じゃくてん》もわかると思うし……。そうか、忍者的《にんじゃてき》なたたかいをすれば、このメンバーでだって対抗《たいこう》できるかもしれない。」

「ええとさあ……」

二年生の大輔《だいすけ》が、ハカセの服をひっぱった。

「あのね、エスも仲間《なかま》にいれようか。あの犬、ぼくのいうことなら、なんでもきくんだ。ほえろっていったら、ワンワンほえるしね。やっつけろって命令《めいれい》したら、かみつくよ。」

エスというのは、団地《だんち》に住みついている大型《おおがた》の野犬《やけん》で、中村《なかむら》兄弟が、こっそりえさをやっているのを、ハカセも知っていた。

「うん、いいんじゃないの。忍者《にんじゃ》のなかには動物をつかって、敵《てき》を攻撃《こうげき》する方法もあったらしいからね。」

ハカセがこたえると、こんどは兄貴《あにき》の翼《つばさ》が口をひらいた。

「忍者は、ものまねもうまかったんだよねえ。」

「そうさ。動物の鳴きまねをして、敵をごまかしたり、きのうみたいに合図《あいず》したりしたのさ。」

ハカセたちの会話《かいわ》をきいていたモーちゃんが、ハチベエをふりかえった。

「ほらね、ここにいる連中《れんちゅう》だって、みんな得意《とくい》な忍法《にんぽう》を持ってるんだ。それを役だてれば、中町《なか》の子どもたちをやっつけられるんじゃないの。」

ハチベエも、しだいにその気になったらしい。

「なるほどなあ。忍者軍団《にんじゃぐんだん》ってわけだな。そうか、おれたちは忍者になるのか。うん、そういうことなら、名前がいるな。」

「名前？」

モーちゃんが、けげんな顔《かお》をする。

「そうさ。忍者にはかっこいい名前があったんだぞ。猿飛佐助《さるとびさすけ》とか霧隠才蔵《きりがくれさいぞう》とか……。ようし、おれは〝伊賀《いが》の小猿《こざる》〟にしようっと。おまえは、〝根来《ねごろ》の三吉《さんきち》〟にしな。」

「ネゴロって、なに？」

「知らないのか。忍者の名産地《めいさんち》さ。」

「へえ、忍者って、伊賀《いが》と甲賀《こうが》だけじゃないの。」

モーちゃんが感心《かんしん》したように声をあげた。そのとき、ハカセがせきばらいした。

「それじゃあぼくは、〝風魔正太郎《ふうましょうたろう》〟にしよう。昔《むかし》、風魔一族《ふうまいちぞく》という忍者のかしらが〝風魔小太郎《ふうまこたろう》〟と名のっていたそうだからね。」

「ちぇっ、名前だけは、いっちょまえだな。」

ハチベエが、いやみをいった。

「ねえ、ねえ。ハチベエちゃん、ぼくにもつけて。」

貝原勇介《かいばらゆうすけ》が身をのりだした。

「そうだなあ。ゲタは、たしか剣道《けんどう》ならってたよなあ。〝剣《つるぎ》の勇介《ゆうすけ》〟は、どうだ。」

「だったら、ぼくは〝パチンコの浩司《こうじ》〟にして。」

松崎浩司《まつざきこうじ》も顔《かお》をつきだす。

「パチンコの浩司より、〝つぶての浩司〟のほうが忍者《にんじゃ》らしいよ。」

ハカセが忠告《ちゅうこく》した。

中村《なかむら》兄弟のうち、ものまねのうまい翼《つばさ》のほうは〝変化《へんげ》の翼《つばさ》〟、エスと仲《なか》のよい弟は、〝犬飼《いぬかい》の大輔《だいすけ》〟という名前をちょうだいした。

「みんな、名前がついたな。これからは、自分が忍者だってこと、わすれるな。いいな、モーちゃん。」

ハチベエのことばに、モーちゃんがフ、フ、フとふくみ笑《わら》いをした。

変化の翼
ホ〜
ホケキョ
エス
犬飼の大輔
剣の勇介
つぶての浩司
風魔正太郎
根来の三吉
伊賀の小猿

「おわすれかな。拙者《せっしゃ》の名は、根来《ねごろ》の三吉《さんきち》でござるぞ。」

「お、そうか。根来の三吉、わかったな。」

「かしこまってござる。」

モーちゃんが、かるく頭をさげた。

「わかったら、おい、みんな、まず忍者《にんじゃ》の修業《しゅぎょう》をしようぜ。」

ハチベエ、いやいや、伊賀《いが》の小猿《こざる》は、ぴょっと立ちあがった。

「忍者の修業って、なにやるの。」

貝原勇介《かいばらゆうすけ》が、けげんな顔《かお》で小猿を見あげた。

「うん、そうだなあ。やっぱり木のぼりじゃないのか。ほら、テレビでやってるだろ。木の上から、だっととびおりておそいかかるの。おれ、いっぺんやってみたかったんだ。」

いうがはやいか、ハチベエは、そばの松《まつ》の木にのぼりはじめた。まさに猿《さる》というネーミングがぴったりの早業《はやわざ》ではあった。

2

夜になっても、ちっともすずしくならない。こんなのを熱帯夜《ねったいや》というのだろうか。

ハカセは、ひたいの汗《あせ》をハンカチでぬぐうと、ふたたび目のまえのかべにはった八《はち》幡谷《まんだに》の地図をにらみつけた。

暑いはずである。ハカセが三十分も前からとじこもっているのは、市営《しえい》アパートのへやのなかでも、いちばん風通《かぜとお》しの悪いトイレのなかなのだ。

この少年、読書や考えごとをするときには、トイレにこもるというくせがあるのだ。もっか、ハカセがトイレにこもっているのは、いうまでもなく八幡谷攻略作戦《こうりゃくさくせん》のためだった。

ひるまの話し合いで、まずは忍者《にんじゃ》となって敵地《てきち》を偵察《ていさつ》するところまでは、なんとか計画したが、問題《もんだい》はそこからだ。敵地の偵察といっても、いったいどのようにやればよいのか。

ひるま、谷の入り口から、のこのこ出かけていけば、かんたんに見つかってしまう。

敵《てき》のいなくなる夜になれば、いくらでもしのびこむことができるが、彼らの人数《にんずう》や、武器《ぶき》などについては、やはりひるま、彼らが、まだ八幡谷《はちまんだに》にいるときでないとつかめない。

中町《なかまち》の連中《れんちゅう》だって、一日じゅうエアガンを撃《う》っているわけじゃないだろう。休憩《きゅうけい》したり、あそんだりもしているにちがいない。彼らの一日のスケジュールがわかれば、彼らがいつ、いちばんゆだんしているか、つまり攻撃《こうげき》のタイミングもつかめるというものだ。

やはり、ここしかないな。

ハカセは、八幡谷の背後《はいご》の山をにらんだ。谷の後方《こうほう》につらなっている山は、花山団《はなやまだん》地《ち》の背後の山とつながっているから、尾根《おね》すじをたどっていけば、ここから八幡谷に出ることも不可能《ふかのう》ではない。ただ、地図を見るかぎり、道はなさそうだから、おそらくコンパスをたよりにしげみのなかをかきわけて進むことになるだろう。

いや、道のないところからいくほうが、かえって敵《てき》に気づかれる心配もない。中町の子どもたちも、まさかハカセたちが裏山《うらやま》から侵入《しんにゅう》してくるとは、思ってもいないだろうから、その点では、かえって有利《ゆうり》だ。

さて、偵察《ていさつ》をすませたあとは、いよいよ攻撃《こうげき》ということになるけれど、いったいどんな方法があるのか。

いくらあいてがゆだんしていても、攻撃がはじまれば、きっと応戦《おうせん》してくるにちがいない。そのとき、どうたたかえばいいのか。

いちばん効果的《こうかてき》なのは、敵《てき》の武器《ぶき》をつかえないようにしておくこと。つぎに、味方《みかた》がどこから攻撃しているのか、あいてにわからなくさせることだ。

エアガンをつかえないようにするのは、もっかのところ無理《むり》だが、味方のすがたをかくす方法は、いくつかある。

まず、煙幕《えんまく》を張《は》る方法だ。濃《こ》いけむりをたてて、すがたをかくすのもいいかもしれない。ただし、敵のすがたも見えなくなる危険《きけん》もある。

あらかじめ、ときの声を録音《ろくおん》したカセットを谷のあちこちにセットしておけば、敵は、その声にごまかされて、あさっての方向に応戦《おうせん》をはじめるかもしれない。同じように、ロケット花火《はなび》の発射台《はっしゃだい》をいくつもセットして、リモコンで点火《てんか》すれば、敵をかい、い、くらんさせることができる。要《よう》は、あいてをあわてさせることだ。あわてさせて、混《こん》乱《らん》させて、つぎに……。

「そうか。」

思わず、立ちあがった。

要するに、中《なか》町の子どもたちを退却《たいきゃく》させればいいのだ。なにも、傷《きず》つけることはない。

そういえば、楠木正成《くすのきまさしげ》は、すくない兵隊《へいたい》をできるだけおおく見せるために、旗《はた》やたいまつをたくさんたてて、敵《てき》を敗走《はいそう》させたという。あれも、一種《いっしゅ》の忍者的《にんじゃてき》な作戦《さくせん》だろう。

これならハカセたちにも、実行可能《じっこうかのう》な作戦だ。

しかし、中町の子が全員逃《に》げだすとは、かぎらない。基地《きち》にたてこもって、あくまで応戦《おうせん》してきたら、そのときは、ハカセたちもたたかわざるをえない。

もっか、ハカセたち忍者軍団《にんじゃぐんだん》のなかで、中町の子どもと対等《たいとう》にたたかえる人間といえば、ハチベエと剣道《けんどう》のうまい勇介《ゆうすけ》と、パチンコが得意《とくい》な浩司《こうじ》、そして、エスという強力《きょうりょく》な助手《じょしゅ》を連れた大輔《だいすけ》の四人だ。ハカセやモーちゃん、それに翼《つばさ》ときたら……。いや、ぜったいに中町《なか》の連中《れんちゅう》をやっつけてやるぞ。ハカセは、汗《あせ》のにじんだ手を、ぎゅっとにぎりしめる。

中町の子どもたちにはだかにされたくつじょくを、ハカセはわすれてはいなかった。同じころ、モーちゃんは花山駅《はなやまえき》前にあるアカツキ書店《しょてん》にいた。毎週水曜日の夕《ゆう》がた、モーちゃん愛読《あいどく》の少年週刊誌《しゅうかんし》が本屋さんにとどくのだが、きょうは夕がたまでハチベエ指導《しどう》のもとに、忍者《にんじゃ》の特訓《とっくん》をさせられて、くたくたになってしまった。六時にわが家《や》にもどり、まずは夕食前のおやつをたいらげ、おふろにはいったあと、会社からもどってきた母さんとタエ子姉さんと、夕ごはんを食べた。

モーちゃんには、お父さんがいない。モーちゃんがあかちゃんのとき、両親《りょうしん》が離婚《りこん》してしまったのだ。

それはともかく、三人で夕飯《ゆうはん》を食べたあと、のんびりとテレビをながめていたのだが、なんとなくわすれものをしたような気がして、あれこれ考えているうちに、ひょいと思いだしたのだ。時計は、午後《ごご》八時をまわっていたが、駅前の本屋さんは十時までは開店《かいてん》している。

大いそぎで家をとびだして、駅前《えき》にやってきたというしだいだ。

「おじさん、『少年ウイークリー』、まだのこってる。」

店さきのレジにすわっている主人にたずねると、主人はかるくうなずいた。

「あと二、三冊《さつ》のこってると思うよ。」

「よかった……」

モーちゃんは、いそいそと雑誌《ざっし》コーナーへとむかった。なるほどコーナーのはしっこに、おめあての雑誌が平積《ひらづ》みにしてある。モーちゃんが、両手で雑誌をかかえあげたとき、すぐそばで、クスクスと、女性のしのび笑《わら》いがきこえた。見れば雑誌コーナーのなかほどに、ふたりの少女が立っていて、からだをくっつけるようにしながら、ふたりで同じ雑誌を立ち読みしていた。

表紙にアイドルタレントの写真がのっかった、おとなの週刊誌《しゅうかんし》だ。よほど興味《きょうみ》ぶかい記事がのっているらしく、ふたりの少女たちは、わらったり、肩《かた》をたたきあったり、ひそひそささやきあっては、熱心《ねっしん》に読みふけっている。

モーちゃんのほうからは、髪《かみ》の長い少女の横顔《よこがお》しか見えなかったが、それがだれだか、すぐわかった。クラスメイトの荒井陽子《あらいようこ》だ。

「やあ、荒井さん。」

モーちゃんが声をかけたとたん、髪の長い少女は、はっとしたように雑誌《ざっし》をとじた。そのおかげで、もうひとりの女の子の顔《かお》も見えた。これまたモーちゃんと同じ六年一組の榎本由美子《えのもとゆみこ》だ。ふたりは、同時にモーちゃんを見た。それから、あわてたように持っていた雑誌《ざっし》を、ほかの雑誌のあいだにはさむ。

「あ、あら、奥田《おくだ》くんじゃないの。なにしにきたの。」

荒井陽子《あらいようこ》が、口ごもりながらたずねてきた。

「うん、きょうは『少年ウイークリー』の発売日だったんだけど、すっかりわすれてたね。大いそぎで買いにきたの。荒井さんや榎本さんも、本を買いにきたの？」

「あたしたちは、塾《じゅく》の帰り……。ちょっと、立ち読みしてただけよ。」

「ふうん、今の本、買うんじゃないの。」

「今の本て？」

「ほら、『週刊毎朝《しゅうかんまいちょう》』のあいだにはさんだやつ。『芸能《げいのう》スキャンダル』……」

「あら、あたしたち、そんなエッチな本、見てないわ。ねえ……」

ふたりの美少女は、わざとらしくうなずいてみせる。

が、すぐに榎本由美子《えのもとゆみこ》が、口をひらいた。

「そんなことより、奥田《おくだ》くん、あなた、きのう中町《なか》の子に
ひどいめにあったんじゃなくって？」

「えっ？」

こんどは、モーちゃんのほうがあわてる番だ。

陽子《ようこ》と由美子《ゆみこ》は、モーちゃんの反応《はんのう》をたしかめてから、なんとなく顔《かお》を見あわせた。

「ふうん、片山《かたやま》のいってたこと、ほんとなんだ。あなたと山中《やまなか》くん、中町の子に、
ヌードにされたんでしょ。」

「ど、どうして、知ってるんだい。」

モーちゃんは、自分の顔がみるみる赤くなっていくのが、よくわかった。

そんなモーちゃんを、ふたりの美少女は、いくぶんいじわるそうな目つきでながめ

ながら、声をひくめた。

「あのね、あたしたちの塾《じゅく》に、第《だい》一小の片山健作《かたやまけんさく》って子がいるのよ。その子が、きょう、あたしたちにきいたのよ。花山《はなやま》町の八百屋《やおや》の子で、ハチベエってやつ知らないかって。クラスメイトだっていったらさ、そいつの子分《こぶん》で、からだのでかいのと、めがねかけてるやつをつかまえて、ヌードにしてやったんだって、じまんするのよね。」

「そ、そいつ、ど、どんな子？」

「だからさ、片山健作《かたやまけんさく》って子、そうね、勉強はまあまあってとこだけど、顔《かお》がねえ……」

「それに、短足《たんそく》だから……」

「黒いシャツ着てない。」

「黒いシャツは着てないけど……。いやなやつよ。」

「あいつだ。きっと、あいつだ……」

モーちゃんは、うめくようにつぶやいた。

いつも隊長《たいちょう》のそばにいる、黒シャツの子にちがいない。

陽子《ようこ》が、モーちゃんの顔をのぞきこむ。

「あなたたち、八谷《はちや》くんたちと、八幡谷《はちまんだに》で戦争《せんそう》ごっこして負けたんでしょ。それで、きみたちがつかまった。」

「うん。」

モーちゃんは、こっくりうなずく。

「ちょっとやりすぎじゃないの。たかが遊びじゃないの。それなのに、パンツまでぬがすなんてねえ。」

「片山《かたやま》は、変態《へんたい》かもよ。そんな気がする。」

ふたりの少女は、ひとしきりふんがいしたのち、モーちゃんにいった。

「もし、しかえしするんなら、あたしたちもてつだうわよ。」

「ありがとう。でも、ぼくら、もう計画たててるんだ。忍者軍団《にんじゃぐんだん》をつくってね、あいつらやっつけるの。」

「へえ、忍者になって、片山の家にしのびこむわけね。」

「そうじゃなくて、八幡谷の基地《きち》を攻撃《こうげき》するんだよ。」

「おもしろそうじゃないの。あたし、いっぺん忍者《にんじゃ》になりたかったんだ。」

「荒井《あらい》さんが？」

モーちゃんは、おどろいて陽子《ようこ》の顔《かお》を見た。

「女忍者は、〝くノ一《のいち》〟って呼《よ》ばれてたのよ。ユッコ、あたしたちも、忍者になって、片山《かたやま》をやっつけてやりましょうよ。」

「いいわね、あいつのヌードを写真に撮《と》って、塾《じゅく》の子にばらまいたら、みんなよろこぶんじゃない。」

「あ、それいいわね。」

ふたりの美少女が、キャッキャとわらいだした。

3

「なんだって。荒井《あらい》や榎本《えのもと》がここにくるんだって。」

モーちゃんの報告《ほうこく》をきいたハチベエじゃなくて、伊賀《いが》の小猿《こざる》は、ぶらさがっていた松《まつ》の枝から、あやうくすべり落ちそうになった。

「うん、まえから忍者《にんじゃ》になってみたかったんだってさ。それに、第《だい》一小の片山健作《かたやまけんさく》って子がきらいだから、はだかにしてやりたいんだって。」

「ええと、その片山健作ってのは、なに者だ。」

「ほら、八幡谷《はちまんだに》にいた黒いシャツの男の子。あの子じゃないの。あいつ、荒井《あらい》さんたちと同じ塾《じゅく》にかよっててね。ぼくらのこと、塾でしゃべったらしいよ。」

モーちゃんが、ちらりと風魔正太郎《ふうましょうたろう》のほうを見た。

「荒井さんたちがかよってるの、たしか駅前《えきまえ》のすみれ塾《じゅく》だったね。あそこなら第《だい》一小の子もおおぜいかよってるみたいだから、うわさがひろがってもしかたないな。」

ハカセも、かるくため息《いき》をつく。

「それより、ふたりをどうする。おれは忍者にするより、看護婦《かんごふ》になって、けがの治《ち》療《りょう》でもしたほうがいいと思うけどな。」

ハチベエは、いまだに陽子《ようこ》の看護婦すがたが頭のなかにちらついているのだ。

「そうかな。女忍者も悪くないんじゃないの。女忍者のことをくノ一《くのいち》といってね、〝女〟という文字は、〝く〟と〝ノ〟と〝一〟を組みあわせているから、そう呼《よ》んだんだ。戦闘力《せんとうりょく》は期待《きたい》できないけれど、敵《てき》のようすをさぐったり、にせの情報《じょうほう》をながしたりするのには、かえって、女性のほうが有利《ゆうり》な場合があるからね。」

ハカセは、ふたりの参加に賛成《さんせい》のようだ。

三人の忍者がしゃべっているところに、つぶての浩司《こうじ》と剣《つるぎ》の勇介《ゆうすけ》が、連れだってやってきた。そのあとを追うように、変化《へんげ》の翼《つばさ》、犬飼《いぬかい》の大輔《だいすけ》がかけてくる。大輔のそばに、大きな黒犬がくっついていた。

「お、そいつがエスか。けっこうでかいな。」

ハチベエが、木からとびおりた。

「エス、おすわり！」

大輔が命令《めいれい》すると、犬は、その場にぺたりとおしりをつき、長い舌《した》をたらして、はっはっと息をしながら、大輔とハチベエの顔《かお》を見あげた。

「エス、お手！」

ハチベエが、犬のまえに手をつきだしたが、犬は知《し》らん顔《かお》をしている。

「エス、お手は？」

大輔《だいすけ》にうながされて、いかにもしぶしぶといった感じで、ハチベエの手に前足をのせた。

「この犬、弟のいうことしかきかないんだ。ぼくが命令しても、ぜんぜんだめなんだよ。」

よこから、兄貴《あにき》の翼が説明《せつめい》した。

「ふうん、野良犬《のらいぬ》のくせになまいきだなあ。」

ハチベエがつぶやいたとたん、犬がワンとほえて、ハチベエはあわてて右手をひっこめる。命令《めいれい》はきかないが、人間のことばはわかるらしい。

そのとき、自転車のベルがきこえた。ふりかえると、団地《だんち》のほうからカラフルな自転車が三台、こっちにむかって走ってくるのが見えた。自転車の上には、これまたカラフルなT《ティ》シャツにショートパンツをはいた女の子たちがのっている。

「あれえ、くノ一《くのいち》は、荒井《あらい》と榎本《えのもと》だけじゃないのかよ。もうひとり、よぶんなのがくっついてるぞ。」

ハチベエが、すっとんきょうな声をあげた。中央《ちゅうおう》の白いテニスキャップは荒井陽子《あらいようこ》、その右どなりは榎本由美子《えのもとゆみこ》だが、左どなりのむらさき色のJ《ジェイ》リーグキャップの女の子は、安藤圭子《あんどうけいこ》だ。彼女《かのじょ》も六年一組のかわいい子ちゃんなのだが、しょうしょう口が悪すぎて、ハチベエがにがてとする女性なのである。

三人は、木《こ》かげにたむろしている忍者《にんじゃ》たちのそばまでやってくると、にこやかにわらいかけながら、自転車からとびおりた。

「ごめんなさい、おそくなっちゃって。」

陽子《ようこ》が、だれともなしに声をかけてから、忍者たちをひとりひとりながめまわす。

「これが、奥田《おくだ》くんのいってた忍者軍団《にんじゃぐんだん》の全員?」

「そうだよ。」

「あら、六年生は、三人? あとは、小さい子ばっかりねえ。なんか、たよりないなあ。」

圭子《けいこ》が、さっそく口の悪さを発揮《はっき》する。

「そんなことないよ。この子は剣《つるぎ》の勇介《ゆうすけ》といってね、剣道《けんどう》がうまいんだ。この子はつぶての浩司《こうじ》。パチンコの名人《めいじん》だよ。」

モーちゃんが紹介《しょうかい》すると、中村翼《なかむらつばさ》も胸《むね》をはった。

「ぼくは変化《へんげ》の翼《つばさ》。動物の鳴きまねが得意《とくい》なんだ。そいで、こいつは弟の犬飼《いぬかい》の大輔《だいすけ》。犬をつかって敵《てき》をやっつけるの。」

「ふうん、みんないい名前がついてるんだ。ねえ、ねえ、あたしたちもくノ一《くのいち》なんだからさ。いい名前つけましょうよ。」

三人の美女たちは、顔《かお》をよせあってひそひそやっていたが、やがて、陽子《ようこ》が一歩まえに出た。

「発表します。あたしの名は〝陽炎《かげろう》〟。」

と、こんどは、由美子《ゆみこ》がにっこりわらう。

「あたし、〝小蝶《こちょう》〟ともうします。ちいさなチョウとかいて〝小蝶〟ね。」

さいごに圭子《けいこ》がまえに出た。

「わたしの名は、〝夕霧《ゆうぎり》〟。みんな、おぼえてくれた？」

「へへ、夕立《ゆうだ》ちのほうが、いいんじゃないの。」

ハチベエがまぜっかえしたが、圭子のひとにらみで、だまってしまった。

「それじゃあ、ぼくらも名のろうか。ぼくは、風魔正太郎《ふうましょうたろう》。」

「ええと、ぼくは根来《ねごろ》の三吉《さんきち》ね。」

「伊賀《いが》の小猿《こざる》とは、おれのことさ。」

まずは、それぞれが自己紹介《じこしょうかい》したところで、これからの作戦《さくせん》を相談《そうだん》することにした。

ハカセが立ちあがった。

「さっきも安藤《あんどう》さん、いや夕霧《ゆうぎり》さんがいったように、ぼくら人数《にんずう》もすくないし、力も強くないから、まともにたたかっても勝《か》ちめはないと思うんだ。だから、なにか計略《けいりゃく》をたてなくちゃならない。そのためには、まず敵《てき》のようすをさぐることだと思うんだよ。」

このあたりまでは、だれもが理解《りかい》していたことだ。

「さて、敵のようすをさぐるには、三つのやり方があると思うんだ。ひとつは、八幡《はちまん》谷《だに》にこっそりしのびこんで、基地《きち》のなかがどんなになっているか、それに、落《お》とし穴《あな》とか、兵隊《へいたい》のかくれる塹壕《ざんごう》の場所などを偵察《ていさつ》する。もうひとつは、ドラゴン部隊《ぶたい》のメンバーが何人いて、どの子が強くて、どの子が弱いかってことを、ききこみ調査《ちょうさ》する。

そしてもうひとつは……」

ハカセが、ゆっくりと軍団《ぐんだん》を見まわした。

「ドラゴン部隊《ぶたい》の隊員《たいいん》にばけて、彼らの一日の行動をしらべるんだ。」

ハカセがしゃべりおえたとたん、ハチベエが口をひらいた。

「あのさあ、八幡谷《はちまんだに》にしのびこんだり、連中《れんちゅう》のことをかぎまわるのは、できるかもしれないけどなあ。連中の仲間《なかま》にばけるっていうのは、ちょっとむつかしいんじゃないの。」

「しかし、昔《むかし》の忍者《にんじゃ》は、足軽《あしがる》なんかにばけて、敵陣《てきじん》をさぐったり、城《しろ》のなかにはいったというからね。」

「そりゃあ、ほんものの忍者なら、それくらいできるかもわかんないけれどさあ……」

ハチベエが首をふったとき、小蝶《こちょう》こと榎本由美子《えのもとゆみこ》が、ゆっくりと口をひらいた。

「中町《なか》の子どもにばけることはできないけど、あの子たちが八幡谷《はちまんだに》で、毎日どんなことしてるのかくらいは、あたしたちでもしらべられると思うわよ。ねえ、ヨッコ。」

由美子《ゆみこ》は、ことばのおわりで陽子《ようこ》をふりかえる。

「そうね、片山《かたやま》にきいたら、あの子、ぺらぺらしゃべるかもね。」

「中町《なか》の子なら、だれでもそのドラゴン部隊《ぶたい》になれるの？」

圭子《けいこ》が、ハカセを見た。

「さあね、メンバーは第《だい》一小の子がほとんどだけど、どうやって仲間《なかま》になってるのか、ちょっとわかんないな。でも、どうして。」

「わたしのいとこが、中町に住んでるの。五年生なんだけど、その子をドラゴン部隊に仲間入《なかまい》りさせたらどうかしら。そしたら、部隊のことが、よくわかると思うわよ。」

「つまり、スパイってわけだね。」

ハカセが、考えぶかげに目をほそめる。

「その子、第《だい》一小学校なんだろ。だいじょうぶかなあ。」

「なにが。」

「ぜったいに、きみのいうとおり、スパイしてくれるかってこと。それと、もしスパイだってことがばれたとき、その子、仲間《なかま》からひどいめにあわされるんじゃないかな。」

「そうねえ……」

安藤圭子《あんどうけいこ》は、かわいらしい顔《かお》を、ちょっとかたむけて考えこんでいたが、じきに大きくうなずいた。

「だいじょうぶよ。ようりょうのいい子だから、ばれるようなへまはやらないでしょ。それから、わたしのこと、うらぎったりする心配もないわね。そんなことしたら、どうなるか、ちゃんとわかってるわ。」

圭子は、クラスの男子ばかりでなく、親類《しんるい》の子どもたちのあいだでも、一目《いちもく》おかれる存在《そんざい》らしい。

「ねえ、ハチベエくん、ドラゴン部隊《ぶたい》のことについては、荒井《あらい》さんや安藤《あんどう》さんにまかせたらどうかな。へたにぼくらがかぎまわるより、そのほうが成功するんじゃないの。」

「うん、だけど、おれたちはなんにもしなくてもいいのか。」

ハカセの意見《いけん》では、伊賀《いが》の小猿《こざる》の活躍《かつやく》の場《ば》が、まるでなさそうな気がする。

「いや、きみにはやってもらうことがあるさ。まず、裏山《うらやま》をぬけて八幡谷《はちまんだに》の背後《はいご》にまわるルートを見つけてもらわなくちゃあ。それが見つかったら、八幡谷の偵察《ていさつ》だな。

最終的《さいしゅうてき》には、基地《きち》にしのびこんでもらうことになると思うよ。」

「それ、ぜんぶ、おれひとりがやるの。」

ハチベエは目をまるくする。たしかに大活躍《だいかつやく》のチャンスだが、たったひとりでやるには、すこしばかり大仕事《おおしごと》だ。

「もちろん、ぼくもいくよ。でも、あんまりおおぜいでいくと、見つかるからねえ。」

「はい、はい、はい。ぼくも連れてって。ぼく、見つかりそうになったら、動物にばけるからさ。」

四年生の中村翼《なかむらつばさ》が、教室みたいに手をあげた。

「わかった、わかった。それじゃあ、ハチベエくんと、ぼくと、変化《へんげ》の翼《つばさ》の三人だ。」

ハカセがいうと、五年の貝原勇介《かいばらゆうすけ》や松崎浩司《まつざきこうじ》は、ふまんげに鼻《はな》を鳴らした。

「ちぇっ、いいなあ。」

「だいじょうぶ。偵察《ていさつ》は、いちどだけじゃないさ。つぎのときは、きみたちも連れてくよ。」

ハカセが、なだめた。

「それに、きみたちには、やってもらわなくちゃあいけないことが、あるんだ。」

しゃべりながら、ハカセはかたわらのバッグをひらく。そして、なかからパックにつめたたまごをとりだす。

「これはね、忍者《にんじゃ》のつかう目《め》つぶし。たまごのからのなかに、こしょうの粉《こな》とうがらしの粉が、めりけん粉《こ》にまぜてはいってる。こいつを敵《てき》に投げつけて、目を見えなくさせるんだ。」

一同《いちどう》、思わずハカセの手もとをながめる。

「それから、これは、かぎ縄《なわ》。ロープのさきにかぎがついてるだろ。パチンコは、こないだつくったから知ってるね。あとは、この携帯用《けいたいよう》ロケット発射台《はっしゃだい》。こんどは戦車《せんしゃ》にのせるんじゃなくて、ひとりひとりが持っていて、好《す》きな場所からロケット花火を発射できるのさ。」

ハカセは、まるで手品師《てじなし》のように、さまざまな用具《ようぐ》を地面にならべた。

「ねえ、ねえ。十字手裏剣《じゅうじしゅりけん》とか、水《みず》グモは、ないの。」

貝原勇介《かいばらゆうすけ》が質問《しつもん》した。

「手裏剣《しゅりけん》は、ちょっとね。それに八幡谷《はちまんだに》には、水グモをつかうような水面がないから。」

ハカセは、あくまで対《たい》ドラゴン部隊《ぶたい》との決戦《けっせん》を想定《そうてい》して、これらの忍者道具《にんじゃどうぐ》を開発《かいはつ》したのである。

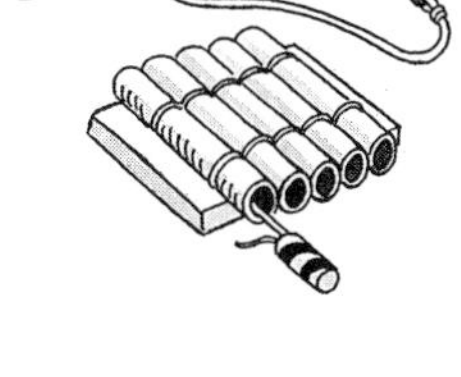

4

相談《そうだん》がまとまったのは、午後《ごご》三時前だ。

こうなれば、一刻《いっこく》も早く行動《こうどう》すべきだというハチベエの強硬発言《きょうこうはつげん》で、陽子《ようこ》たちくノ《くの》一《いち》は、ただちにドラゴン部隊《ぶたい》の内情《ないじょう》をさぐるべく中町《なか》に出発することになり、ハチベエたちも、団地《だんち》の裏山《うらやま》から尾根《おね》づたいに八幡谷へと偵察《ていさつ》に出かけることになった。もちろん残留部隊《ざんりゅうぶたい》は、モーちゃんの指導《しどう》のもとで、ハカセの開発《かいはつ》した忍者必携道具《にんじゃひっけいどうぐ》の大《たい》量生産《りょうせいさん》にはいることとなった。

「それじゃあ、いっちょう偵察《ていさつ》にいってくるからよ。おまえら、目《め》つぶし爆弾《ばくだん》、ちゃんとつくっとけよ。」

ハチベエは、モーちゃんたちに声をかけると、先頭《せんとう》に立って団地《だんち》の裏山《うらやま》へのぼりはじめた。

団地の裏山は、明るい松林《まつばやし》になっているし、かすかながら山道らしいものがあって、わりとのぼりやすい。しかし、それも松林がとぎれ、うっそうとした雑木《ぞうき》とシダのしげみになったとたん、スピードがおちてしまった。

「とにかく、上にのぼっていくのさ。そのうち尾根《おね》すじに出るからね。そうしたら、すこしはらくになると思うよ。」

ハカセにはげまされ、ハチベエはしゃにむに、急な斜面《しゃめん》をはいあがっていった。

なんとか尾根すじらしきところに到着《とうちゃく》したが、そこからどっちにむかってあるいていいのやら、見当《けんとう》もつかない。まわりは背《せ》の高い広葉樹《こうようじゅ》が視界《しかい》をさえぎり、足もとには、シダやつる草がしげっている。

「ええと、こっちが北だから、八幡谷《はちまんだに》は、この方向だね。」

地図と磁石《じしゃく》を持ったハカセが、右手を指《ゆび》さす。

「ほんとに、そっちだろうな。」

「まちがいないよ。せいぜい十分くらいじゃないかな。」

ハカセのことばで、ハチベエは、ひたいの汗《あせ》とクモの巣《す》をはらいのけると、雑木《ぞうき》のなかへと突進《とっしん》した。

しかし、雑木とつる草のなかを、なんどものぼりおりしたが、いっこうに谷らしき場所に到着《とうちゃく》しない。

「おい、もう三十分以上《いじょう》あるいてるぞ。」

ハチベエがハカセをふりかえる。

「ううん、たぶん、この右側《みぎがわ》のあたりが谷だと思うんだけど……。」

ハカセが自信《じしん》なげに、あたりを見まわす。

「ぼく、そこの木にのぼってみるよ。」

翼《つばさ》が、近くのカシの木をあごでしゃくると、ぱっと幹《みき》にとりついた。そして、するするとよじのぼりはじめた。

「へえ、あいつも、けっこうやるじゃないか。」

木のぼりには自信《じしん》のあるハチベエも、感心《かんしん》するほどの身の軽さだ。やがて、木の葉のあいだから翼《つばさ》の声がした。

「ハチベエちゃん、ハカセちゃん。わかった、わかった。谷は、もうすこしさきのとこだよ。」

「ほんとか？」

「テントが見えるもの。」

カシの枝がざわつき、翼がおりてきた。

「こっち、こっち……。」

翼はさきに立って、ぐんぐん雑木林《ぞうきばやし》のなかを進んでいく。

尾根《おね》すじがくだりになったとき、右手の木のあいだから、ちらりと草地が見え、そのはるか向こうに中町《なかまち》の家なみが見えた。

「まちがいない。この、ましたが八幡谷《はちまんだに》だ。」

ハカセがさけぶ。

「て、ことは、ここをくだっていけば、基地《きち》のうらに出るってことだな。」

「くだってみないとわからないけれど。とにかく谷の裏山《うらやま》にちがいないよ。」

「よし、それじゃあ、いよいよ基地《きち》にしのびこめるな。」

ハチベエが、ごくりとつばをのみこむ。

「あ、待って。」

ハカセが、せおってきたリュックから、赤いビニールテープをとりだして、そばの木にまきつけた。谷へのくだり口の目印《めじるし》にするつもりらしい。

急な斜面《しゃめん》を慎重《しんちょう》にくだっていくと、眼前《がんぜん》にクヌギ林《ばやし》があらわれた。

この林には、ハチベエも見おぼえがある。

と、林の下手《しもて》から子どもの声がきこえてきた。

ハチベエは、うしろからくだってくるふたりに、手でストップの合図《あいず》をおくると、自分はからだをできるだけ低くしながら、クヌギの林のなかへとすべりこんだ。

ハチベエの記憶《きおく》ではクヌギ林《ばやし》の下は草むらになっていて、そこからさきは、もう平地《へいち》になっている。ただ林の左手は、ごつごつした大きな岩がいくつもかさなっていて、そのあいだから水がしみだし、谷のなかをながれる小川になっていた。

ハチベエは、足音をしのばせて林のなかを岩のほうへと移動《いどう》していった。やがて斜《しゃ》面《めん》につきだした岩の根もとへと到着《とうちゃく》した。

ハチベエはうしろをふりかえり、後続《こうぞく》のふたりを手まねきする。谷のほうでは、あいかわらず子どもの話《はな》し声《ごえ》や笑《わら》い声《ごえ》がきこえている。ドラゴン部隊《ぶたい》の連中《れんちゅう》にちがいない。

ふたりがハチベエのそばまでやってきた。ハチベエは、岩づたいに斜面をのぼり、やがて大きな岩の上方へとまわりこむ。この岩の先端《せんたん》は、谷にむかってつきだしているから、きっと谷ぜんたいが見とおせるはずだ。ただし、用心しないとハチベエのすがたも、下から発見されることになる。

「いいか、おれが、まず、この岩のさきっちょまでいって、下のようす偵察《ていさつ》してくるからな。おまえら、ここで待っていてくれ。」

ハチベエがささやくと、ハカセがうなずいた。

「それじゃあ、これ持っていって。あ、それからね……。」

ハカセは双眼鏡《そうがんきょう》をハチベエの首にぶらさげる。そして、これまたリュックのなかか

ら、緑色の絵《え》の具《ぐ》をとりだして、ふたりの手の上にたっぷりとしぼりだした。

「これを顔《かお》にぬりたまえ。そうすればまわりの木の葉の色にまじるから見わけがつかなくなるだろ。」

「おい、おい。そこまでしなくちゃあいけないの。」

「忍者《にんじゃ》だったら、それくらいの用心《ようじん》ぶかさがなくちゃあ。」

ハカセはそういいながら、自分の顔にも緑色の絵の具をぬりたくりはじめた。たちまち三人は、植物星人《しょくぶつせいじん》みたいな顔《かお》つきになる。

ハチベエは、岩の上にからだをふせながら、じりじりと先端《せんたん》にむかってはっていった。

三メートルもすすむと、そこは岩のさきっちょだった。目の下にいくつもの岩がかさなり、その下は、もう明るい草っ原だ。左手のほうに黄色いテントと掘《ほ》ったて小屋《ごや》が見える。

テントのまえの石垣《いしがき》に、数人《すうにん》の子どもがこしかけて、アイスクリームを食べていた。どの子も上半身《じょうはんしん》はだかになっているところを見ると、軍事訓練《ぐんじくんれん》はお休みらしい。

「おーい、片山《かたやま》。アイス、食《く》えよ。とけちゃうぞう――」

なかのひとりがさけんだ声が、はっきりとハチベエの耳にとどいた。

「ああ、今いくよ。」

右手のクヌギ林《ばやし》のほうから、声がした。

つい、さっきハチベエが通過《つうか》した林のほうから、黒シャツの男の子があらわれ、かけ足《あし》で石垣《いしがき》のほうにやってきた。

「ほら、見ろ。カブトのさなぎが、こんなに捕《と》れたぞ。」

「おまえ、またなだれかに売りつけるんだろう。」

「あたり――。一ぴき五十円なら、安いもんさ。デパートなら、三百円するぞ。」

片山という子は、カブトムシで金もうけをしているらしい。

「第《だい》二小のやつら、また攻《せ》めてくるかなあ。」

べつの声がした。

「さあな。茂男《しげお》ちゃんがいってたけど、和泉《いずみ》って子は、ハチベエとけんかしたんだって。だけどハチベエは、まだやる気だってさ。」

「へへ、こんどはハチベエのはだか踊《おど》り、みせてもらいたいな。」

「ほんと、ほんと。頭にナスビかキュウリのっけておどらせたら、八百屋《やおや》の宣伝《せんでん》にもなるんじゃないの。」

子どもたちの会話《かいわ》は、ようしゃなくハチベエの耳にとどいてくる。

ハチベエは、奥歯《おくば》をかみしめた。できることなら、このまま岩の上からとびおりて、なぐりこみをかけたいところだ。が、今は、重要《じゅうよう》な任務《にんむ》がある。

なにごともしのぶのが、忍者《にんじゃ》なのだ。

ハチベエは、双眼鏡《そうがんきょう》を目にあてて、谷のなかを観察《かんさつ》しはじめた。草むらのところどころに、ぽっかりと穴《あな》があいている。このあいだハチベエが転落《てんらく》したのも、あの穴のひとつにちがいない。あの穴は、ドラゴン部隊《ぶたい》の兵士《へいし》が身をかくす塹壕《ざんごう》なのだ。あのなかにかくれていれば、下からのぼってくる人間には、まるで気づかれることはないだろう。

ハチベエは、基地《きち》のほうに目をもどした。

そのとき、テントのなかから、迷彩服《めいさいふく》の少年があらわれた。

「おい、歩哨《ほしょう》がどうして、ここにいるんだ。」

迷彩服《めいさいふく》のことばに、アイスクリームをなめていた子が、びっくりしたように立ちあがった。

「だって、近谷《ちかたに》が、アイス持ってきてくれたから。」

「だったら、塹壕《ざんごう》で食べればいいだろ。もし、今、第《だい》二小の子が攻撃《こうげき》してきたらどうするんだ。きょうは、人数《にんずう》がすくないんだからな。」

「だいじょうぶさ。茂男《しげお》ちゃん、山崎《やまざき》が見張《みは》り場《ば》にいるんだもの。もし、谷に侵入《しんにゅう》してくるやつがいれば、知らせてくれるさ。」

黒シャツの片山健作《かたやまけんさく》がとりなし顔《がお》でいうのが、ハチベエにもわかった。

そうか、谷の入り口に見張りがいたのか。だからハチベエたちが攻撃したときも、よゆうを持って反撃《はんげき》に出られたのだ。

ハチベエにも、やっと謎《なぞ》がとけた。

四、忍者軍団総攻撃《にんじゃぐんだんそうこうげき》

1

八幡谷《はちまんだに》の偵察《ていさつ》は、まずまずの成功だった。谷のあちこちにほられた塹壕《ざんごう》の位置《いち》もわかったし、中町《なか》の子どもたちの会話《かいわ》から、見張《みは》り場《ば》の存在《そんざい》もあきらかになった。そこに常時《じょうじ》、だれかが見張りに立っていることもわかった。

ただ、見張り場がどこにあるのかは、ざんねんながらしらべられなかったけれど、おそらく谷のなかほど、お宮から谷にぬける道の出口あたりの山の斜面《しゃめん》にあるにちがいない。もしかしたら、トランシーバーで、基地《きち》の本部《ほんぶ》と交信《こうしん》して、敵《てき》の侵入《しんにゅう》を連絡《れんらく》しているのかもしれない。

三人が、花山団地《はなやまだんち》にもどってきたのは、六時前だった。モーちゃんたちは、市営《しえい》ア

パートの中庭《なかにわ》に移動《いどう》して、もっか、塩《えん》ビのパイプを切っては、携帯用《けいたいよう》のロケット発射《はっしゃ》器《き》を製作《せいさく》していた。

残留部隊《ざんりゅうぶたい》が、まずおどろいたのは緑色をした三人の顔《かお》である。

「どうしたの、その顔……」

モーちゃんが、あっけにとられたように三人をながめる。

「これ、これが山のなかを行動《こうどう》するときの忍者《にんじゃ》のメイクアップさ。こうやって緑にしとくと、木の葉や草と同じ色になるからな。」

「ふうん、さすが……。で、どうだった。基地《きち》のなかにしのびこんだの。」

貝原勇介《かいばらゆうすけ》が、興味《きょうみ》ぶかげに質問《しつもん》する。

「きょうは、八幡谷《はちまんだに》にいくルートを見つけるのが第一目的だからね。基地の内部まではさぐらなかったけれど、谷のくわしい見取《みと》り図《ず》がつくれると思うよ。それより、どう、目つぶしたまごはできた。」

ハカセが、残留部隊を見まわす。

「バッチリさ。なまたまご、二パック、ぜんぶ目つぶしたまごにしたんだよ。」

「二パックっていうと、二十個《こ》?」

「ぼくんちに買いおきがあったからね。おかげで、四人とも、おなかがいっぱい。」

モーちゃんが、でっぱった腹《はら》をさする。

「なまたまご、二十個。四人で食べたのかい。」

「しかたないだろう。たまごのさきっちょのところを、ほんのすこし穴《あな》をあけて、なかの白身《しろみ》や黄身《きみ》を、すいださなくちゃだめだろ。もったいないから、みんなでのみこんだんだ。」

「あのね、モーちゃんてすごいよ。ぼくら、二つしか食べられなかったけど、モーちゃんたら、のこりをみんな食べちゃうんだもの。」

大輔《だいすけ》が感動《かんどう》したように報告《ほうこく》する。

「やれ、やれ。たまごのもういっぽうにも小さい穴をあけとけば、なかみがわりとかんたんにとりだせたんだけどね。ま、いいや。で、なかにはちゃんと、こしょうとうがらしの粉《こな》と、めりけん粉《こ》をまぜたものをつめたんだね。」

「うん、しっかりつめて、セロテープでふた、しといた。」

「よし、二十個《こ》あれば、ひとり、二個ずつ、つかえるな。ロケット発射器《はっしゃき》は、いま何台できたの。」

「ええと、これで六組かな。あと、四つつくれば全員が持っていけるよ。」

「ありがとう。顔《かお》をあらったら、ぼくもてつだうよ。」

ハカセは、そういいすてると、中庭《なかにわ》のすみにある手洗《てあら》い場《ば》のほうにかけだす。砂場《すなば》であそんでいたちびっこたちが、ハカセの顔を見て、おどろいたように立ちあがった。

ハカセたち、偵察隊《ていさつたい》が合流《ごうりゅう》したおかげで、ロケット発射器は、じきに完成《かんせい》した。

「そういやあ、木刀《ぼくとう》も用意しといたほうがいいな。こないだのは、みんな、谷のなかにすててきたもんなあ。」

ハチベエが、つぶやく。

「そうだね。基地《きち》を攻撃《こうげき》するときは、パチンコより、木刀のほうが役にたつかもね。」

ハカセもうなずく。

そのとき、アパートのはしっこから四台の自転車が走ってくるのが見えた。

「なんだ、あんたたち、こっちにいたの。さっきのところかと思って、さがしたのよ。」

先頭《せんとう》の安藤圭子《あんどうけいこ》が、まっさきに声をかけてきた。

「ごめん、ごめん。忍者道具《にんじゃどうぐ》をつくるんで、アパートにもどったんだよ。」

モーちゃんが、すなおにあやまった。この性格《せいかく》の良さで、モーちゃんは、女性たちに人気《にんき》がある。

女忍者《おんなにんじゃ》のなかに、ひとりだけ男の子がまじっていた。年齢《ねんれい》はハチベエたちとあまりかわらないようだ。目のぱっちりした、なかなかの美男子だ。

「みんな、紹介《しょうかい》するわね。わたしのいとこで、安藤勝彦《あんどうかつひこ》、第《だい》一小学校の五年よ。」

圭子のいとこは、はずかしそうにうつむきながら、小声で、こんにちはといった。

「勝ちゃんはね、ドラゴン部隊《ぶたい》のこと、よく知ってるのよ。ていうのはね、この子の友だちも、ドラゴン部隊の隊員《たいいん》なんだって。それでね、勝ちゃんも、その友だちにさそわれてるの。」

「へえ、そいつはいいな。スパイになって、部隊にもぐりこんでもらおうじゃないか。」

ハチベエが、大きな声をあげる。

「ところが、それが、ちょっとね。ほら、あんたから説明《せつめい》してよ。」

圭子《けいこ》が、肩《かた》をおすと、勝彦《かつひこ》は、よろけながら口をひらいた。

「あ、あのね。ドラゴン部隊《ぶたい》にはいるにはね、エアガンかガスガンがいるんだよ。それもね、安いんじゃだめなんだ。」

勝彦によれば、エアガンといっても、ピンからキリまであって、たとえば、〝M《エム》4カービン〟という、アメリカの兵隊《へいたい》がつかっているライフルに似《に》せたエアガンでも、安いのは二千円から、高いのになると五万円以上《いじょう》するそうだ。

「六年の片山《かたやま》くんや、中学の森《もり》くんの持ってるマシンガンなんて、六万円だって……」

「げ――。六万円……」

ハチベエが、おったまげたような声をあげた。

「六万円もだしゃあ、ほんものの鉄砲《てっぽう》が買えるんじゃないのか。」

「まさか……。でも、ぼくも連中《れんちゅう》の持ってるエアガンを見て、ちょっとびっくりしたんだ。ぼくらの知ってるのは、ぜんたいがプラスチックでできてるだろ。だけど、あの子たちの持ってるのは、銃身以外《じゅうしんいがい》は、ほんものみたいに木でできてたからね。だいたい、命中精度《めいちゅうせいど》がバツグンによかったもの。」

捕《ほ》りょになったハカセは、ドラゴン部隊《ぶたい》の兵士《へいし》たちを、よく観察《かんさつ》していたらしい。

「そういやあ、おれも五年のころ、ライフルを一丁《ちょう》持ってたけど、あんまり命中《めいちゅう》しなかったな。それに、すぐこわれちゃった。」

どうやらドラゴン部隊の装備《そうび》は、そこいらの子どものおもちゃとは、わけがちがうようだ。

「ぼく、そんな高いエアガン買えるほど、こづかいがなかったからね。だから、部隊にはいらなかったんだ。」

勝彦《かつひこ》が、かすかにため息《いき》をつく。

「ただ、エアガンを持ってなくても、はいれないこともないらしいよ。森《もり》くんて、ライフルを五丁《ちょう》も持ってるし、ピストルだって十丁くらい持ってて、一日五十円でかしてくれるらしいんだ。」

「森っていうのは、中学生だったな。」

ハチベエが、たずねると、勝彦《かつひこ》は、こっくりうなずく。

「あのひとが、ドラゴン部隊《ぶたい》をつくったの。そいで、八幡谷《はちまんだに》に基地《きち》を建設《けんせつ》して、毎日訓練《くんれん》をはじめたんだよ。」

「それ、いつごろからなの。」

と、ハカセ。

「さあ、今年《ことし》の五月ごろかなあ。はじめは五、六人だったけど、今じゃあ二十人くらい、隊員《たいいん》がいるんじゃないの。」

「みんな、小学生?」

「そう、第《だい》一小学校の五年と六年。」

「毎日、エアガンで、コンバットごっこしてるんだろ。よく、あきないなあ。」

「コンバットごっこもするけどさ、おひるにはんごう炊《すい》さんしたり、バーベキュー大会したり……。ああ、そうそう。森《もり》さんが勉強もおしえてくれるんだって。」

「勉強まで、おしえてるのかよ。」

ハチベエが、うんざりした顔《かお》でうめく。

「夏休みのあいだは、午前《ごぜん》ちゅうは勉強してね。おひるは、みんなでラーメンとか、ごはんつくって食べてさ。そいで、午後《ごご》はエアガンの練習《れんしゅう》したり、あそんだりしてるらしいよ。」

「だいたい、何時ころまで、基地《きち》にいるの。」

「さあ……。」

そこまでは、勝彦《かつひこ》も知らないらしい。

と、荒井陽子《あらいようこ》が口をひらいた。

「すくなくとも、六時までには家にもどるんじゃないのかな。だって、すみれ塾《じゅく》は七時にはじまるんだもの。」

「だけど、塾は毎日じゃないだろ。塾のある日だけ、早く帰るのかもしれないよ。」

ハカセのことばに、陽子も、かるくうなずく。

「そうね、あの子たちが、いつごろまで、八幡谷《はちまんだに》にいるか、あたしがしらべてあげるわよ。」

「それにしても、そんな高い鉄砲《てっぽう》を、みんなよく買えたなあ。」

ハチベエには、それがふしぎでしょうがない。

「お正月のおとし玉《だま》とか、貯金《ちょきん》をおろして買うんだって。それに、森《もり》くんて、おとなのひとに人気《にんき》あるんだ。子どもたちのめんどう見てくれるし、勉強もおしえてくれるからね。」

「しかし、あんなあぶないおもちゃであそんでて、よく、親にしかられないね。けがしたら、どうするんだよ。」

モーちゃんが、PTA代表みたいに、まゆをしかめた。

「家に持って帰ると、親に見つかっちゃうだろ。だから、たいていの子は、基地《きち》の武《ぶ》器庫《きこ》にかくしてるんだ。ぼくの友だちも、家にはないしょで買ったんだって。」

勝彦《かつひこ》がこたえた。

「ふうん。すると、みんなのつかってる武器は、ほとんど、あの基地で保管《ほかん》してるってこと。」

ハカセが、めがねをずりあげる。

「うん、かぎのかかる大きな箱《はこ》にいれてあるんだ。ぼくも、いっ

ぺん、遊びにいったとき見たよ。これくらいのかぎがついてた。」

勝彦《かつひこ》が、指で輪をつくる。南京錠《なんきんじょう》らしい。

「そうか、これは利用できるかもしれないな。」

ハカセが、じっと考えこんだ。が、やがて顔《かお》をあげて、勝彦の顔をのぞきこむ。

「きみ、今でも、かぎの形《かたち》や色、おぼえてるかい。」

勝彦がうなずくのを確認《かくにん》したハカセは、みんなのほうをふりかえった。

「ぼく、ちょっとこの子と駅前《えきまえ》まで買いものにいくからね。きょうのところは、さきに失礼《しつれい》するよ。」

そういいすてると、アパートの玄関口《げんかんぐち》へとかけていき、愛用《あいよう》の自転車にのってもどってきた。

「勝彦くん、さあ、いこう。」

事情《じじょう》ののみこめない勝彦は、とほうにくれたように圭子《けいこ》をながめる。

「山中《やまなか》くん、なにか計画があるんでしょ。勝ちゃん、つきあってあげなさい。」

圭子にうながされて、勝彦も自転車にまたがった。

二台の自転車は、いくらか夕《ゆう》がたっぽくなった団地《だんち》のなかへときえていった。

2

ハカセの買いものは、どうやら武器庫《ぶきこ》の南京錠《なんきんじょう》に関係《かんけい》があるらしい。ひょっとしたら、そっくりの錠を買いにいったのかもしれない。

でも、いくら形《かたち》や色がそっくりでも、かぎ穴《あな》はちがうから、それをつかって、武器庫のかぎをあけるのは不可能《ふかのう》だろう。

「それじゃあ、あたしたちも、そろそろ帰るわ。あしたは塾《じゅく》があるから、片山《かたやま》からいろいろききだせると思うの。なにか情報《じょうほう》をつかんだら、山中《やまなか》くんに知らせるわね。」

陽子《ようこ》が、自転車にまたがる。

「あ、ハカセでなくても、おれに電話してもいいぜ。」

ハチベエが、あわてていったけれど、陽子は、にこやかにほほえんでこたえた。

「山中くんがいなかったら、奥田《おくだ》くんにするわ。」

どうやら、ハチベエは、まったく信用《しんよう》されていないようだ。

くノ一《くのいち》たちがいなくなると、アパートの中庭《なかにわ》が、きゅうにさみしくなった。

「じゃあ、ぼくらも帰るよ。」

中村《なかむら》兄弟が立ちあがると、貝原勇介《かいばらゆうすけ》と松崎浩司《まつざきこうじ》もつられて立ちあがる。

「八幡谷《はちまんだに》には、いつ攻撃《こうげき》をかけるの。」

立ちあがった勇介が、ハチベエにたずねる。

「そりゃあ、準備《じゅんび》ができたら、すぐに攻撃するさ。」

こたえたものの、ハチベエ自身《じしん》、いつ準備がととのうものか、さっぱりわからない。

やはり、作戦《さくせん》に関《かん》しては、ハカセにたよるほかないようだ。

「とにかく……。」

ハチベエは、忍者軍団《にんじゃぐんだん》を見まわす。

「あしたも、忍者の修業《しゅぎょう》をするからな。一時にはかならずこいよ。」

彼には頭脳《ずのう》プレーより、そっちのほうがよほど性《しょう》にあっている。

よく日《じつ》もハチベエの指導《しどう》のもとに、忍者《にんじゃ》の訓練《くんれん》をした。三人のくノ一《くのいち》忍者もやってきたので、ハチベエもおおいにハッスルしている。

ハカセの考案《こうあん》した携帯用《けいたいよう》のロケット発射器《はっしゃき》も試射《ししゃ》がおこなわれた。女性軍は、花火に点火《てんか》するのがこわいといって、さいしょしりごみしていたが、二、三本点火するうちに、だんだんおもしろくなってきたらしく、キャア、キャアいいながら、花火をとばしてあそびはじめた。

「あのな、忍者《にんじゃ》は、もっと静かに行動《こうどう》するもんだぜ。」

たまりかねて、ハチベエが注意するほどだ。

女性には、パチンコも初体験で、ゴムの引きかたや、小石をはなすタイミングがうまくいかなくて、苦労《くろう》している。

パチンコについては、五年生の松崎浩司《まつざきこうじ》が父親じこみの腕《うで》をかわれて、指導《しどう》にあたった。

さすがに〝つぶての浩司〟と名のるだけのことはある。

「小石は、できるだけまるいほうがいいよ。ひらべったいのや、かどのあるのは、まっすぐとばないんだ。左手は、ぐっとのばしてね。そうそう。右手の親指《おやゆび》と人《ひと》さし指《ゆび》で、小石をつまんで、そいでぱっとはなすんだ。あ、目は両方あけてたほうが、ねらいやすいよ。」

パチンコについては、男性軍も、練習《れんしゅう》のひつようがおおいにあった。先日《せんじつ》の戦闘《せんとう》のさい、パチンコでねらいをつけているところを、敵《てき》に撃《う》たれた子がおおぜいいた。できるだけ、すばやくねらいをつけて、どんどん撃たなくては、エアガンに対抗《たいこう》できないのだ。

今、ひとつ、忍者《にんじゃ》にひつようなのは、剣術《けんじゅつ》だ。とくに、今回の作戦《さくせん》では、パチンコ攻撃《こうげき》より、木刀《ぼくとう》による斬《き》りこみ攻撃が重要になってくるだろう。剣術は、剣《つるぎ》の勇介《ゆうすけ》の専門分野《せんもんぶんや》なのだが、勇介のならっているのは、あくまでもスポーツとしての剣道《けんどう》で、どれほど実戦《じっせん》に役だつかどうか、はなはだ疑問《ぎもん》ではあった。

これは勇介も認《みと》めていて、

「剣道では、竹刀《しない》を正眼《せいがん》にかまえるんだけど、けんかのときに、そんなことをしてた

ら、敵《てき》に刀《かたな》のさきっちょをにぎられちゃうからね。とにかく、むちゃくちゃにふりまわすのが、いちばんじゃないかな。

それでなかったら、こうして大上段《だいじょうだん》にふりかぶったままつっこんでいくんだ。そいで、敵の頭の上に力いっぱいふりおろす。」

まことに実戦的《じっせんてき》アドバイスをしてくれた。

「ちょっと、むちゃじゃないの。いくらぼうっきれでも、頭にあたったら、死んじゃうよ。」

モーちゃんが心配そうにいうと、勇介《ゆうすけ》はわらった。

「だいじょうぶさ。刀《かたな》をふりかぶってつっこむとね、たいていは、敵《てき》が逃《に》げだすし、からだをよけるから、頭にあたることはないもの。」

もしかすると、勇介は、剣道《けんどう》よりもチャンバラのほうが、経験豊富《けいけんほうふ》なのかもしれない。

忍者《にんじゃ》たちは、山からひろってきた木の枝を木刀《ぼくとう》がわりに、勇介のいう、実戦的な訓《くん》練《れん》に汗《あせ》をながした。

「いま気がついたけど、汗で手がすべると、木刀がすっぽぬけるなあ。やっぱり、にぎるところに布《ぬの》かなんか、まいてたほうがいいみたい。」

モーちゃんが、わが愛刀《あいとう》をなでながらいった。モーちゃんのたずさえているのは、ほかの子どもよりも、ひとまわり太いカシのぼうだ。こんな木刀でぶったたかれる中《なか》町の子どもは、さぞいたいだろう。

真夏《まなつ》の午後《ごご》、忍者軍団《にんじゃぐんだん》のめんめんは、団地《だんち》の近くの山道を、さんざんかけまわり、すっかりたくましくなった。

「おい、くノ一《くのいち》も、けっこうパチンコが撃《う》てるようになったし、そろそろ、八幡谷《はちまんだに》に攻撃《こうげき》をかけようじゃないか。」

木《こ》かげでひと休みしているハカセのそばに、ハチベエがどすんと腰《こし》をおろした。

「きょう、荒井《あらい》さんたちが塾《じゅく》で、片山《かたやま》って子に会うっていってたからね。ぼくの知りたい情報《じょうほう》をいろいろききだしてくれると思うんだ。そいつがわかれば、作戦《さくせん》はかんぺきだな。」

「へえ、おまえ、きのうも、安藤《あんどう》のいとこと、こそこそやってたけど、いったい、どんな作戦たててんだ。」

「そのときがきたら発表するよ。うん、うまくいけば、あしたの夕《ゆう》がた、もういっぺん八幡谷《はちまんだに》にしのびこむことになると思うよ。」

「あしたの夕がた？」

「ひょっとしたら、夜になるかも。」

「わかった。中町《なかまち》のやつらが家にもどったすきに、基地《きち》のなかにはいって、しらべるつもりだろう。」

ハカセは、にんまりとわらいかけた。

「しらべるだけじゃなくて、ちょっとしたしかけをするつもりなんだ。それが成功すれば、ぼくらの大勝利《だいしょうり》はまちがいないな。」

ハカセは、なにやらすごい作戦《さくせん》を考えているらしい。


その夜も、ハカセは、わが家《や》のトイレにとじこもっていた。手には、一個《こ》の南京錠《なんきんじょう》と、さきのまがった針金《はりがね》を持っている。

彼は、さきほどから、なんとかして針金で、かぎをあけようとしているのだ。

ゆうべから、ひまさえあれば、針金《はりがね》と南京錠《なんきんじょう》をかかえてトイレにとじこもり、なんとかかぎをつかわないで、錠前《じょうまえ》をはずそうとしているのだが……。

「正太郎《しょうたろう》、電話よ。」

へやのほうから、母さんの声がきこえたとたん、南京錠が、カチャと音をたてた。

錠の上にとりつけられた、U《ユー》の字型《がた》の金具《かなぐ》が、ぴんとはねあがる。

「やった──」

ハカセは、思わず歓声《かんせい》をあげてトイレからとびだした。

受話器《じゅわき》をつかむと、荒井陽子《あらいようこ》の声がきこえてきた。

「山中《やまなか》くん、ばっちりききだしたわよ。」

「ほんと、じつはね、ぼくも大成功なんだ。」

「なにが?」

「あした、話すよ。ええと、それで、ドラゴン部隊《ぶたい》は、いつも何時に谷に集合してるの。」

「うん、朝はまちまちらしいの。八時くらいにいく子もいるし、十一時ごろやってく

るのもいるらしいわ。午前《ごぜん》ちゅう、小屋のなかで勉強してるのはほんとうみたいね。それからみんなで食事をつくって、食べるんだって。みんな、それを楽しみにしてるみたい。」

「じゃあ、おひるまでには、全員がそろうってこと?」

「全員といっても、毎日くるのは、せいぜい八人くらいなんだって。ただ、なにかとくべつなことがあると、招集《しょうしゅう》をかけるから、そのときは二十人以上《いじょう》になることもあるらしいわ。」

「それで、夕《ゆう》がたは何時に解散《かいさん》?」

「それもきまってないらしいのよ。三時ごろにもどっちゃう子もいるし、六時すぎまであそんでるのもいるの。そうそう。いつもあつまるのはね、共働《ともばたら》きの家の子だって、片山《かたやま》がいってたわ。片山んとこも、両親《りょうしん》がはたらいてるから、ひとりで昼ごはん食べるの、つまんないから、八幡谷《はちまんだに》へいくんだって。」

なるほど、ドラゴン部隊《ぶたい》は、軍事集団《ぐんじしゅうだん》であるだけではなく、昼食会《ちゅうしょくかい》グループでもあるらしい。

3

朝のうち晴れていた空が、昼をすぎたころから雲におおわれてきた。ときおりなまぬるい風が、さっと吹《ふ》きわたっていく。まだ七月だというのに、気のはやい台風《たいふう》が九州《きゅうしゅう》の南を北上《ほくじょう》しているのだ。

午後《ごご》五時、花山団地《はなやまだんち》の市営《しえい》アパートの裏山《うらやま》に、十人の子どもたちがあつまってきた。

「雨、ふらなきゃ、いいけど。」

グリーンのぼうしをかぶった榎本由美子《えのもとゆみこ》が、空を見あげる。

灰色《はいいろ》の雲が、ゆっくりと東から西へうごいていた。

「だいじょうぶだろ。天気予報によると、降水確率《こうすいかくりつ》は二十パーセントだったから。あしたも昼まではだいじょうぶみたいだよ。」

リュックをせおったハカセが、確信《かくしん》ありげにこたえた。

「五時になったからな。出発するぞ。」

ハチベエが、ひと声どなると、松林《まつばやし》のなかへとあるきだした。

おとといたどった尾根《おね》すじを、きょうは忍者軍団全員《にんじゃぐんだんぜんいん》であるいていく。中村大輔《なかむらだいすけ》のそばには、野良犬《のらいぬ》のエスが、ぴったりとくっついていた。

エスをつれていくことにかんしては、ついさっき、ちょっとした議論《ぎろん》がたたかわされたのだ。八幡谷《はちまんだに》には、まだ中町《なか》の連中《れんちゅう》がいるかもしれない。エスの行動いかんで、忍者たちの存在《そんざい》を気づかれる危険がある。

ハチベエやハカセは、エスを連れていくことに反対だったが、モーちゃんや荒井陽子《あらいようこ》たちくノ一《くのいち》たちが、大輔というよりエスの味方《みかた》についたのだ。

「この犬だって、あたしたちの仲間《なかま》なのよ。それに、もし悪いやつが出たときは、追っぱらってくれるんじゃないかしら。」

どうも女性軍は、心の底からハチベエたちの戦闘力《せんとうりょく》を信頼《しんらい》していないふしがある。

けっきょく、エスの行動は、大輔が責任《せきにん》をもつということで決着《けっちゃく》がついた。

おととい三十分くらいかかった尾根《おね》すじを、きょうは二十分たらずであるき、目印《めじるし》の赤いテープの地点《ちてん》に到着《とうちゃく》した。

「いいか、このましたが、八幡谷《はちまんだに》だ。敵《てき》はまだ基地《きち》にいると思うから、これからさきは、いっさい声をだすなよ。いいな。」

ハチベエが、厳重《げんじゅう》なる注意をする。

「みんな、例のタオルでマスクをしてね。」

ハカセにうながされて、一同《いちどう》グリーンのタオルでふくめんをした。じつは、これもおとといのように緑の絵《え》の具《ぐ》を顔《かお》にぬる予定だったのだが、女性たちから猛反対《もうはんたい》があって、やむなく緑色のスポーツタオルでマスクをすることになった。もっとも、このタオルは、今夏《こんか》、ミドリ市の小学校の子どもたち全員がもらった、市政《しせい》百周年《しゅう》記念のタオルだから、すぐに用意できた。

タオルだけはおそろいだが、服装《ふくそう》のほうは、おそろいとはいかない。ただ、できるだけめだたない色の長ズボンとシャツを着用《ちゃくよう》。いざというときのために、木刀《ぼくとう》とパチンコを携帯《けいたい》することになっていた。

まず、ハチベエが、足音をころして急な斜面《しゃめん》をおりていった。二十メートルほどくだったところで、四方に気をくばったのち、後続部隊《こうぞくぶたい》に下降《かこう》をうながす。

こうしたことを三度ばかりくりかえし、ついに先日《せんじつ》の岩のそばにたどりついた。

谷のほうから吹《ふ》きあげてくる風に、まわりの林がざわざわと音をたてる。それにまじって、

「じゃあな。おさきに……。」

という子どもの声が、きこえた。

ハチベエは、いそいで岩の上によじのぼった。今しも基地《きち》のまえの道を、三人の子どもがふもとのほうにかけだしていくところだった。

草っ原のなかで、ふたりの子が、キャッチボールをしている。テントのそばにも、ひとり、迷彩服《めいさいふく》の男が立って、キャッチボールをしているふたりをながめていた。

ハチベエは、そっと岩をすべりおりた。

「まだ三人のこってるな。」

「いま、何時？」

「五時半か。六時くらいには、みんなひきあげるんじゃないか。」

ひそひそ話していると、また声がした。

「雨がふるかもしれないからさ。食糧《しょくりょう》の上には、ビニールでもかけとこうか。」

「この小屋、雨《あま》もりがひどいもんなあ。台風がきたら、屋根《やね》がとぶんじゃないの。」

「こんどのは、朝鮮半島《ちょうせんはんとう》のほうにそれるっていってたから、だいじょうぶだろう。」

ビニールシートをひろげる音が、岩のかげにかくれた忍者《にんじゃ》たちにも、はっきりときこえた。

　やがて作業《さぎょう》もおわったらしい。

「お、もうすぐ六時だぜ。茂男《しげお》ちゃん、帰ろうや。」

「あああ、きょうも、たいくつだったなあ。」

「第《だい》二小のやつらも攻《せ》めてこないしさ。茂男ちゃん、こんどはおれたちで、花山団地《はなやまだんち》のほうまで遠征《えんせい》してやろうや。」

「そいつはやめといたほうがいいぞ。おとなに見られたら、あとがうるさいから。」

「ねえ、ねえ。あしたのおひる、なにつくるの。」

「あしたはラーメン。おまえ、きょうのカレーライス代《だい》、持ってきてないんだからな。ちゃんと食費《しょくひ》ださないと、食べさせないぞ。」

「わかったよ。持ってくるって……」

子どもたちの声が、しだいに遠ざかっていく。どうやら帰りはじめたらしい。

ハチベエが、ふたたび岩の上によじのぼっていった。が、一分ほどしておりてきた。

「もう、みんないなくなっちまったみたいだぞ。」

「そう、でももうすこし、ようすを見てから行動したほうがいいね。」

ハカセが、腕時計《うでどけい》を見た。

やがて、はるかふもとのほうから、メロディーチャイムの音が風におくられてきた。午後《ごご》六時だ。

「ようし、そろそろいいかな。」

ハカセが、ハチベエの肩《かた》をたたく。

岩の根もとからいったん左手のクヌギ林《ばやし》のほうに移動《いどう》し、林のなかをとおって谷におりることになった。

クヌギ林をぬけて、草むらに出たときだ。ハチベエの足が、なにかにひっかかった。そのとたん、
ガラン、ガラン！

と、あきかんをころがすような音が谷にひびきわたる。

「やばい、鳴子《なるこ》がしかけてあるぞ。」

ハチベエは、ぱっと草地にひれふし、後続《こうぞく》の連中《れんちゅう》もクヌギ林のかげにかくれる。

しかし、基地《きち》のなかからは、だれもとびだしてこない。やはり全員、家にもどったのだ。

「ひゃあ、まいったなあ。こんなしかけがしてあるなんてよ。」

ハチベエが草むらのなかから、黒いロープをひっぱりだした。地上三十センチのところに、ロープがはられ、要所《ようしょ》ようしょにあきかんがぶらさがっている。

「よかったね、早く気がついて。まだ、ほかにもしかけてあるかもしれないから、見つけだしてしまつしておこう。」

ハカセが、ナイフでロープを切りはじめた。

鳴子は、山ぎわにそってかなりの範囲《はんい》にはられていた。とくに基地の裏山《うらやま》には、三重にロープがはってあり、どのロープにふれても、あきかんが鳴るようになっている。

「あいつらも、ばかじゃないな。おれたちが裏山から攻《せ》めてくることも、ちゃんと考えてはいたわけだからよ。」

ハチベエが、えいとばかりロープのはしを切ると、あきかんは、はでな音をたてて斜面《しゃめん》をころがっていった。

鳴子《なるこ》をすべてしまつしたのち、いよいよドラゴン部隊《ぶたい》の本部《ほんぶ》にしのびこむことにした。

「いいね、なかのものは、ぜったいうごかしちゃだめだよ。」

ハカセがそういいながら、テントの入り口のジッパーを静かにひきあげた。なかにこもった熱気《ねっき》が、ふくめんをした顔《かお》に吹《ふ》きつける。ハカセは、あわててマスクをはずした。めがねがくもって、なかが見えない。

やっとこさくもりがとれた。テントのなかは、わりと広い。中央《ちゅうおう》に机《つくえ》がわりの箱《はこ》がおかれ、左のほうには、カラーボックスをつんだ戸だながあった。そして、右手には簡易《かんい》ベッドもあって、毛布《もうふ》がきちんとたたんでおいてある。

隊長《たいちょう》の森《もり》少年は、ときにはここに泊《と》まるのだろうか。

ハカセは戸だなに目をうつす。ガスボンベが十本ばかりならんでいた。ガスガンにつかうのだろう。そのとなりには、透明《とうめい》なプラスティックの箱があり、直径《ちょっけい》六ミリくらいの小さなまるいプラスティックボールが、ぎっしりつまっている。これがBB弾《ビービーだん》だ。

その下の段《だん》には、英語や数学の参考書《さんこうしょ》、それにピストルやライフルの本もあった。森という中学生は、なかなか読書家《どくしょか》のようだ。

そのとき、となりにいたハチベエが、ハカセのわきの下をつついた。

「あれが、武器《ぶき》のはいってる箱じゃないの。ほら、かぎがついてるぜ。」

テントのいちばんおくのすみに、たて長の木箱《きばこ》がおかれ、ふたのところに南京錠《なんきんじょう》がぶらさがっていた。

ハカセはくつをぬいで、テントのなかにもぐりこむ。それからリュックのなかから、懐中電燈《かいちゅうでんとう》をとりだした。

「すまないけど、こいつで照《て》らしてくれないか。」

「了解《りょうかい》！」

ハチベエもテントのなかにはいって、ハカセのそばにしゃがみこんだ。

ハカセがリュックのポケットから、なにやらとりだした。みれば、武器庫《ぶきこ》にぶらさがっているのと、そっくりの南京錠《なんきんじょう》だった。

ハカセは錠前《じょうまえ》を床《ゆか》におくと、ポケットからさきのまがった針金《はりがね》をとりだし、武器庫の南京錠のかぎ穴《あな》につっこんだ。

「へえ、おまえ、針金でかぎがあけられるの。」

「しっ！」

ハカセがみけんにしわをよせながら、針金をまわす。一分、二分、三分……。なかなかうまくいかないらしい。ハカセのひたいに汗《あせ》が光っている。

やがて……。カチンという音とともに、南京錠がはずれた。

「しめた。」

ハカセが、大きな声をあげた。

「すごいなあ。おまえ、りっぱなどろぼうになれるぞ。」

ハチベエも、めずらしくハカセをほめた。

大きなふたをあけると、二十丁《ちょう》ばかりのライフルやマシンガン、それにピストルが、

きれいにおさめられていた。これこそドラゴン部隊《ぶたい》の主力武器《しゅりょくぶき》にちがいない。

「やったね、ハカセ。こいつをかっぱらっていきゃあ、中町《なか》の連中《れんちゅう》、お手あげだもんな。」

ハチベエが、手をつっこもうとするのをハカセがとめた。

「武器は、そのままでいいよ。もっとうまい方法《ほうほう》があるんだ。」

ハカセはそういいながら、慎重《しんちょう》にふたをとじると、かけ金《がね》をかける。それから、ぶらさがっていた南京錠《なんきんじょう》をはずして、自分の持ってきた錠前《じょうまえ》とかけかえた。

「どう? これなら、ちょっと見ただけじゃあ、もとのかぎと区別《くべつ》できないだろ。つまり、あしたの朝、連中がやってきても、武器庫《ぶきこ》は異状《いじょう》なしということになるのさ。でも、いざかぎをあけようと思っても、連中の持ってるかぎじゃあ、この錠前はあかない。つまり、箱《はこ》のなかの武器は、つかえないってことさ。」

「でも、そんなめんどくさいことしなくても、なかのエアガンをみんなかっぱらったほうが、かんたんだぜ。」

「このエアガンは、五万円以上《いじょう》するんだよ。もし、ぼくらが持ちだしたら、それこそほんもののどろぼうになっちゃう。ぼくらの目的は、あくまで武器《ぶき》をつかえなくすることだからね。」

「ま、そういうことにしとくか。でも、ちょっとつかってみたかったなあ。」

ハチベエはみれんたらしく、あたらしい錠前《じょうまえ》のかかった武器《ぶき》庫《こ》をながめた。

「さあ、こんどは食糧《しょくりょう》だ。モーちゃんたち、食糧倉庫《そうこ》みつけたかな。」

ハカセは、さっさとテントを出ていった。

となりの掘《ほ》ったて小屋《ごや》は、兵士《へいし》の休憩所《きゅうけいじょ》らしく、内部はビニールがしかれ、みかん箱《ばこ》が五つばかりならんでいた。午前《ごぜん》ちゅう、ここで勉強をするのかもしれない。もうひとつの小屋をのぞくと、モーちゃんや勇介《ゆうすけ》が、おくのほうでゴソゴソしていた。

「すごいよ。ラーメンやお米や、かんジュースがいっぱいはいってる。」

ふりむいたモーちゃんが、報告《ほうこく》する。

小屋《こや》のよこてには、ガスコンロや、なべがならんでいた。この小屋で、昼食《ちゅうしょく》の用意をするのだろう。

「モーちゃん、ラーメンのふくろをこっちに持ってきてごらん。それでね、手わけしてふくろのはしっこを、ほんのすこしひらくんだ。」

ハカセが、ラーメンのふくろをひとつ手にとって、慎重《しんちょう》に包装紙《ほうそうし》を左右にひらいた。

それから、リュックのなかからとりだした箱《はこ》のなかから、白い薬包紙《やくほうし》をつまみだして、
ピンク色の粉《こな》をラーメンのつつみのなかへとそそぎこんだ。

「なに、その薬。」

「下剤《げざい》さ。ほんとは錠剤《じょうざい》なんだけど、ゆうべ、つぶして粉にしといたんだ。こいつを食べると……。」

ハカセが、にんまりとわらう。

「てきめん、トイレにいきたくなるぞ。」

「そうか、あしたは、ラーメンつくるっていってたもんね。ハカセちゃんて、頭がいいなあ。」

「まだ、まだ、いろんなしかけを考えてきてるんだ。あしたの総攻撃《そうこうげき》が楽しみだな。」

ハカセは、つぎのラーメンぶくろに手をのばしていた。

4

七月三十日、ついに八幡谷総攻撃《はちまんだにそうこうげき》の朝をむかえた。

午前《ごぜん》十一時、忍者《にんじゃ》たちは市営《しえい》アパートの裏山《うらやま》にあつまってきた。

台風《たいふう》は、ゆうべのうちに朝鮮半島《ちょうせんはんとう》に上陸《じょうりく》して衰弱《すいじゃく》したらしい。風はおさまったものの、どんよりとした雲が上空にたちこめ、いつふりだしてもおかしくない天気だった。

「いよいよ、おれたちの実力を見せるときがきた。いいか、おれたちは忍者《にんじゃ》だ。忍者は、風のように走り……」

伊賀《いが》の小猿《こざる》は、そこで絶句《ぜっく》した。どうも忍者の頭領《とうりょう》、文学的表現《ひょうげん》にとぼしいようだ。

「……とにかく、がんばろう。中町《なか》のガキどもを、ギタギタにしちまおうぜ。」

「お——う。」

軍団《ぐんだん》のなかから、力強い歓声《かんせい》があがった。

ハチベエは、腰《こし》の木刀《ぼくとう》をひきぬくと、さっとひとふりした。忍者たちは、ばたばたと足音をたてながら山道をのぼりはじめた。

もう二度も往復《おうふく》しているから、下草《したくさ》も左右にふみしだかれ、木の枝もおりまげられている。忍者たちは、まようこともなく、八幡谷《はちまんだに》のおり口《ぐち》についた。

「剣《つるぎ》の勇介《ゆうすけ》、つぶての浩司《こうじ》。おまえら谷のようすをさぐってこい。たぶん、まだ、めしのしたくをしてると思うけど、気づかれるなよ。」

ハチベエの命令《めいれい》で、ふたりの五年生が、手ばやくタオルでふくめんをする。そして足音をしのばせながら、谷へくだっていった。

十分後、ふたりが息をきらせながらもどってきた。

「あいつら、谷川の水をくんで、小屋にはこんでたよ。」

「やはりな。へへ、毒入《どくい》りラーメンをつくるつもりだな。で、何人くらいだ。」

「ううん、小屋のなかに何人いるか、わかんないけど……。ぼくらが見はってるあいだに、五人やってきたなあ。」

「連中《れんちゅう》のようすはどうだった。とくに警戒《けいかい》が厳重《げんじゅう》だったり、テントのなかで、さわぎがおこってるようなけはいはないの。」

よこから、ハカセが質問《しつもん》する。

「ううん、みんな、のんびりしてたなあ。歌をうたったり、ぺちゃくちゃしゃべったり。」

「それじゃあ、武器庫《ぶきこ》のかぎがすりかわってるのは、まだ気づいてないんだな。」

ハカセが、安心したようにうなずく。

「あっちが昼めしつくってるのなら、おれたちも弁当《べんとう》くっとこうぜ。腹《はら》がへっては、いくさにならぬっていうからよ。」

ハチベエのことばに、忍者《にんじゃ》たちはリュックのなかから弁当をとりだす。本来《ほんらい》ならば、忍者らしく丸薬《がんやく》で食事をしたいところだが、そうもいかない。

モーちゃんなどは、大きなおにぎりを三つも用意していた。

「食事をしながら、きいてくれたまえ。まず谷におりたら、荒井《あらい》さんと榎本《えのもと》さん、それに安藤《あんどう》さんの三人は、山すそをまわって、基地《きち》の反対側《はんたいがわ》に身をかくす。勇介《ゆうすけ》くんと、浩《こう》ちゃんは、基地のこちらがわにかくれる。翼《つばさ》くんと大輔《だいすけ》ちゃんは、エスを連れて岩のそば。

モーちゃんと、ハチベエくんは、基地のうらにまわって、例のロープのところで待っていてね。ぼくは、基地《きち》の下手のここまでいって、カセットのスイッチをおす。カセットが作動《さどう》するのを合図《あいず》に、モーちゃんとハチベエくんが、ロープをひっぱるからね。そうしたら、ほかのひとは、ロケット弾《だん》を発射《はっしゃ》させるんだ。

おそらく、基地のなかは大騒《おおさわ》ぎになると思うから、できるだけ身をかくしながら、パチンコ攻撃《こうげき》で、敵《てき》に第《だい》一撃《げき》をあたえる。そして、時期《じき》をみはからって突入《とつにゅう》だ。その判断《はんだん》は、ハチベエくんにまかせるよ。」

ハカセが、谷の見取《みと》り図《ず》を指《ゆび》さしながら説明《せつめい》した。

「わかったわ。あのうほんとうに思いっきり、ぶったたいてもかまわないのね。」

サンドイッチを手に持ったまま、圭子《けいこ》が念《ねん》をおした。

「心配ないよ。きみの持ってるぼうでたたかれたって、せいぜいコブをつくるくらいだもの。」

「安心したわ。あたしね、いっぺん、ひとの頭を思いっきりたたいてみたかったのよね。」

圭子が、期待《きたい》に目をかがやかせる。こんな女性のご主人になるのは、いったいだれなのだろう。

「目つぶしたまごは、いつつかうの。」

こんどは、大輔《だいすけ》が質問《しつもん》した。

「そうだなあ。接近戦《せっきんせん》になって、やられそうになってからつかえばいいよ。」

「ぼくは、エスが助けてくれるから、ひつようないな。」

大輔のかたわらにうずくまっていた黒犬が、まかせとけというふうに、ぺろりと舌《した》なめずりをした。

「さあて、それじゃあ。」

ハチベエが立ちあがって、ふくめんをする。

「あ、ぼく、まだ食べてないんだけど。」

モーちゃんが、三個《こ》めのおにぎりをほおばりながら、いった。

「やめな、やめな。腹《はら》いっぱいになったら、うごけなくなるぞ。」

モーちゃんは、しぶしぶおにぎりをリュックにしまいこんだ。

「パチンコは、腰《こし》にさしとけ。目つぶしたまごはポケット。ロケット花火《はなび》と発射器《はっしゃき》は、

すぐにだせるようにリュックのいちばん上にしまっとけよ。」

ハチベエは、さっと谷にむかっておりていった。

まず、全員が岩のそばまでおり、いまいちど基地《きち》のようすをさぐった。どうやら昼《ちゅう》食《しょく》がはじまったらしくて、基地の外には、だれもいない。

「よし、ちれ!」

ハチベエが小声《こごえ》で命令《めいれい》した。女性たちは、右側《みぎがわ》の山すそに、ハチベエ、ハカセ、モーちゃんは、右手の山の斜面《しゃめん》をまわりこんで、それぞれ基地のしもてと、基地のまうしろへとまわりこんでいく。

貝原勇介《かいばらゆうすけ》と松崎浩司《まつざきこうじ》は、小川にそって基地のよこの石垣《いしがき》あたりまでしのびよっていった。

小屋のなかからは、子どもたちのしゃべり声や、食器《しょっき》のふれあう音がきこえる。きっと下剤《げざい》入りのラーメンをすすっているのだろう。

ハカセは、基地から五十メートルほどのしもての山の中腹《ちゅうふく》から、谷をうかがっていた。原っぱの向こうに、陽子《ようこ》たちのすがたがちらりと見えた。三人とも、すでに持《も》ち場《ば》についたらしい。

ハカセは、山すそまでおりると、リュックのなかから、小型《こがた》のラジカセをとりだした。ラジカセを山ぎわの木の枝にぶらさげると、電源《でんげん》をいれる。それからテープの再生《さいせい》ボタンをおした。テープは、さいしょの三分間、録音《ろくおん》されていないから、三分間は無《む》言《ごん》のはずだ。

ハカセは、からだを低くして草むらのなかを走り、基地《きち》のななめまえにある塹壕《ざんごう》にとびこみ、てばやくロケット弾《だん》の準備《じゅんび》をした。

五本の花火をパイプに装《そう》てんしたとたん、谷のなかに、ワーッというときの声がひびきわたった。テープに録音した子どもたちの声だ。

子どもたちの歓声《かんせい》とともに、谷のあちこちから、白いけむりがするするとまいあがり、石垣《いしがき》の上に落下《らっか》して、パン、パンと、するどい音をたててはれつする。

と、掘《ほ》ったて小屋《こや》のひとつが、めりめりと音をたてて、くずれはじめた。ドラゴン部隊《ぶたい》の兵士《へいし》たちが、悲鳴《ひめい》をあげながらとびだしてきた。

ハカセは、ライターの火をロケット花火に近づける。

シュッ、シュッ、シュッ
五本の花火が、つぎつぎととんでいき、石垣《いしがき》の上で右往左往《うおうさおう》しているドラゴン部隊《ぶたい》にふりそそいだ。

「敵《てき》だ――、敵が攻《せ》めてきたぞ――」

そんな声がきこえる。迷彩服《めいさいふく》の男の子がテントのなかへとびこんでいった。それにつづいて、黒シャツもテントのなかへ……。しかし、ふたりは、なかなか出てこない。

「はやく、鉄砲《てっぽう》だしてよー。」

もうひとりの男の子が、テントの入り口でわめいている。

その子のおしりに、ロケット花火が命中《めいちゅう》した。

「うわあ――」

男の子がおしりをおさえて、石垣の上で足ぶみをはじめた。

そのときやっと、黒シャツと迷彩服が、テントから出てきた。

「だめだ、武器庫《ぶきこ》のかぎがあかないんだ。」

迷彩服がどなった。

「どうするんだよ。」

「とにかく、なにかでたたかえ。」

黒シャツが、くずれた小屋から角材《かくざい》をひっこぬいた。つられて、ほかの子も角材をひろう。谷の反対側《はんたいがわ》から、ふたたびロケット花火《はなび》がまいあがった。

「あそこだ。」

数人《すうにん》の子が、角材をかた手《て》に石垣《いしがき》からとびおりた。そのとたん、二、三人の子が、悲鳴《ひめい》をあげた。つぶての浩司《こうじ》と剣《つるぎ》の勇介《ゆうすけ》がパチンコ攻撃《こうげき》をはじめたのである。

ハカセは、いそいで花火に点火《てんか》すると、立ちあがりざま、石垣の下でうろうろしている子めがけて、パチンコのねらいをつける。

花火がテントの屋根《やね》にぶっつかり、はねかえって爆発《ばくはつ》した。

「そっちにも敵《てき》がいるぞ。」

迷彩服が、ハカセのほうを指《ゆび》さす。ハカセは右の指をはなした。

「あっ！」

迷彩服が、顔《かお》をおさえてうずくまる。

石垣《いしがき》の上にのこっていた五人の子が、ワーワーさけびながら、草むらにとびこんできたが、たちまち、後方《こうほう》からとんできた小石にせなかを撃《う》たれて、草むらにはらばいになった。

さっきの三人も、みんな草むらにからだをふせて、パチンコ攻撃《こうげき》から身をまもろうとしている。

谷のおくから、犬のほえ声《ごえ》がした。まっ黒な犬がものすごいいきおいで斜面《しゃめん》をかけおりてきて、草むらのなかへつっこんでいった。

これには、ドラゴン部隊《ぶたい》もびっくりしたらしい。草むらのなかにかくれていた子が、つぎつぎととびだして、四方八方《しほうはっぽう》へ逃《に》げはじめた。

「突撃《とつげき》――」

いつのまにか、石垣の上にすがたをあらわしたハチベエが、どなった。

ハカセは、木刀《ぼくとう》をひきぬくと、近くまで逃《に》げてきたひとりにとびかかった。

「キャ――ッ!」

男の子が、黄色い声をあげて、U《ユー》ターンした。

「待てー。」

ハカセは、木刀《ぼくとう》をふりまわしながら追いかける。同じような光景《こうけい》が、谷のあちこちでおこっていた。

いったん角材《かくざい》を持って応戦《おうせん》のかまえを見せた兵隊《へいたい》たちも、エスの出現《しゅつげん》で、たちまち戦意《せんい》をなくしたらしい。ついに、ひとりが谷の入り口めがけて逃《に》げだすと、ほかの子どもたちも、ひとり、またひとりと、ふもとのほうに逃げはじめた。

「ごめんよ——。許《ゆる》して——」

草むらのなかで、泣《な》き声《ごえ》がきこえる。見れば、地面にうずくまった男の子を、陽子《ようこ》と圭子《けいこ》、それに由美子《ゆみこ》の三人が、めったうちにしているのだ。

「あんまり、ひどくなぐっちゃだめだよ。」

かけよったハカセがとめたので、三人は、我《われ》にかえったように顔《かお》を見あわせる。

そのすきに、男の子はワー、ワー泣きながら、逃げだした。

「ああ、すっきりした。男の子って、意外《いがい》と弱虫《よわむし》なのねえ。」

由美子《ゆみこ》がふくめんをはずして、ひたいの汗《あせ》をぬぐっている。

草むらのかなたを数人《すうにん》の子どもたちが逃《に》げていく。そのうしろをエスが追いかけていた。

「エ――ス、エス。もどっておいで。」

大輔《だいすけ》が、エスを呼《よ》びもどしていた。八幡谷《はちまんだに》を占領《せんりょう》していた中町《なか》の子どもたちは、全員敗走《はいそう》したらしい。

ハカセは基地《きち》のほうに目をもどした。

いや、あとふたり、石垣《いしがき》の上で角材《かくざい》をふりまわしているやつがいた。ふたりのそばに、ハチベエ、モーちゃん、それに貝原勇介《かいばらゆうすけ》が、木刀《ぼくとう》をかまえていた。

角材をふりまわしているふたりは隊長《たいちょう》の森茂男《もりしげお》と、片山健作《かたやまけんさく》のふたりだった。

ハカセも、刀《かたな》を手に石垣のほうにかけだした。そのとたん、ハカセの手にポツリと大きな雨つぶが落ちてきた。

ふりあおぐ顔《かお》に、またポツリ……。

とうとうふってきたな。

そう思うまもなく、ザーッと音をたててシャワーのような

雨が、八幡谷《はちまんだに》にふりそそぎはじめた。

石垣《いしがき》の上では、森茂男《もりしげお》と片山健作《かたやまけんさく》が、まだ角材《かくざい》をふりまわしている。

もっとも、ふりまわしているだけで、ハチベエたちにおそいかかるようすはない。

「ちくしょう、くるならこい！」

悲鳴《ひめい》とも泣《な》き声《ごえ》ともつかぬ声をあげながら、ふたりは、めちゃくちゃに角材をふりまわしているのだ。

敵《てき》を追っぱらった忍者軍団《にんじゃぐんだん》のめんめんが、つぎつぎと石垣の上にかけあがってくる。

エスも低いうなり声《ごえ》をたてながら、すきあらばとびかかろうと、みがまえていた。

ふいに隊長《たいちょう》の森茂男が、角材を投げすてて、がっくりとひざをついた。

「隊長……」

片山健作が、茂男のそばにかけよる。

「どうしたの……」

「は、腹《はら》が……」

中学生は、わき腹《ばら》をおさえている。

ラーメンの下剤《げざい》が、そろそろききはじめたらしい。

雨はいよいよいきおいをまして、うずくまったふたりの兵士《へいし》と、そのまわりをとりかこむ忍者《にんじゃ》たちのからだを、ようしゃなくぬらしていた。


雨は、その日いっぱいふりつづき、よく朝《あさ》になってやんだ。

きのうからの雨で、プールの水がびっくりするほどつめたくなっていた。ひと泳ぎしたハチベエが、プールサイドにあがってきた。

「ハチベエくん、おなかのところが赤くなってるよ。」

ハカセが指《ゆび》さす。

「ああ、これか。」

ハチベエが、いくぶん赤みをおびたへそのまわりを手でなでた。

「目《め》つぶしたまごをポケットにいれてたろ。あいつが、いつのまにかつぶれちゃってさ。なかみが雨でながれて、ここんとこにたまってたんだ。とうがらしでかぶれちまったらしい。」

「そういえば、苦労《くろう》してつくったのに、いっぺんもつかわなかったねえ。」

モーちゃんが、ゆっくりといった。

「かんぜんにこっちのペースだったもの。ピンチになる場面《ばめん》なんか、いちどもなかったから、目《め》つぶしをつかうひつようもなかったってわけさ。」

ハカセが、まんぞくげにわらった。

「ほんとだなあ。こっちの作戦《さくせん》どおりだったよなあ。中町《なか》のやつら、もうすこし抵抗《ていこう》するかと思ったけど……」

「武器《ぶき》にたよりすぎてたのさ。エアガンやガスガンに……」

「おれ、おかしくってさ。モーちゃんとふたりでロープひっぱって、小屋をたおしたらさ。食器《しょっき》と箸《はし》かかえて、小屋からとびだしてくるんだもの。」

「あの作戦もよかったね。まえの日に柱をのこぎりで半分くらい切っといて、ロープでたおすなんて。ハカセちゃん、よく考えついたなあ。」

モーちゃんが、尊敬《そんけい》のまなざしでハカセをながめる。

「こいつ、悪知恵《わるじえ》だけはよくはたらくよな。まあ、今回は、ハカセの大手柄《おおてがら》だってことは、たしかだ。」

きょうのハチベエは、わりとすなおだ。

「おかげで、リヤカーもとりもどしたし、おまえらも、服やパンツを持って帰ったんだろ。おまけに、八幡谷《はちまんだに》もおれたちのものになったし……」

ハチベエのことばに、モーちゃんが首をかしげた。

「でも、ほんとに中町《なか》の子は、あれでドラゴン部隊《ぶたい》、解散《かいさん》するかなあ。また基地《きち》をつくりなおすんじゃないの。」

「そういえば、中学生も片山《かたやま》って子も、とうとう負けたって、いわなかったね。」

ハカセも、青い空に視線《しせん》をさまよわせた。それでもいいと、思った。

ふたりが、雨のなかをとぼとぼと谷をおりていったすがたを、ハカセは思いだしていた。

ふたりのうしろすがたをながめるうちに、ハカセはもう、それ以上《いじょう》、しかえしをする気もなくなってしまったのだ。

「へっ、あいつらが、もし基地《きち》をつくりなおすんなら、何回でも攻《せ》めてやろうじゃな

いか。うん、そうだ。」

ハチベエが、ふたりを見まわす。

「どうだ。あしたの朝、カブトムシ捕《と》りにいかないか。ついでに基地《きち》のようすも見てこようや。まだテントやエアガンがのこってたら、かまうもんか、火をつけて燃《も》やしちゃおう。」

「テントに火をつけるのは、ともかく、カブトは採集《さいしゅう》したいね。そういえば、もうあしたから八月だもの。今年《ことし》は、まだ一ぴきも捕《と》ってないな。」

ハカセがうなずくと、モーちゃんも、

「だったら、貝原《かいばら》くんや翼《つばさ》ちゃんたちもさそってやろうよ。」

「くノ一《くのいち》たちにも声をかけてやってもいいな。あいつら、カブトムシなんて、さわったこともないんじゃないの。」

ハチベエが、そういったとき、うしろで声がした。

「伊賀《いが》の小猿《こざる》くん。あたしたちになにかご用？」

ふりむくと水着すがたの陽炎《かげろう》、小蝶《こちょう》、夕霧《ゆうぎり》の三人が立っていた。彼女《かのじょ》たちも泳ぎにきたらしい。

「あ、あのな。あしたの朝、カブトムシ捕りに八幡谷《はちまんだに》にいくからさ。おまえらもさそってやろうかなと思ってさ。」

「いいわね、でもそのまえに、今夜《こんや》、花火するの。打《う》ちあげ花火《はなび》もあるから、もしよかったら、遊びにこない？」

陽炎《かげろう》こと荒井陽子《あらいようこ》が、三人を見まわした。

「花火かあ。花火もいいなあ。」

モーちゃんが、のんびりとこたえた。

水泳に虫捕《むしと》り、それに花火。夏休みの遊びはやはり、この三つにつきるようだ。

〈解説〉

藤沢市立鵠沼小学校の現場から

名取弘文《なとりひろふみ》

五年生の三学期、国語学習として「長編物語を一冊《さつ》読んで、あらすじと感想文を書く」というテーマをだしました。どの本を選ぶかは本人まかせ。期限《きげん》はもうけませんでした。

子どもたちに文学の世界をのぞいてほしいのと、たっぷり時間をかけて一つのことをやりとげることを体験《たいけん》して欲《ほ》しいと思ったのです。

それともう一つねらいがありました。「今の子どもは本を読まない」という大人《おとな》がいます。ぼくはこの種《しゅ》の「今の子どもは…」という言いかたをする大人が嫌《きら》いなのです。そういう大人に「今の子どもも読みたくなるような本があれば読みますよ」「読んでみようかなという気分にすればいいんですよ」と言い返したいのです。その証拠《しょうこ》になると思ったのです。

読みたくなるような本として、ぼくはぼくが最近読んでいいなあと思った物語を何冊《さつ》か教室に持ちこみ、「これワクワクするよ」「これが今年の文学賞受賞作《ぶんがくしょうじゅしょうさく》だぞ」と子どもたちに紹介《しょうかい》しました。また、気分になってもらうために「感想文は作者か出版社に送るからね。うまくいけばサインをもらえるぞ」と言っておきました。

クラスの子どもたちは三十一人です。その子どもたちが選んだのは『十五少年漂流記』（ベルヌ作）、『シートン動物記』（シートン作）、『動物会議』（ケストナー作）といった外国の古典的《こてんてき》な作品、『ぼっこ』（富安陽子作）、『イグアナくんのおじゃまな毎日』（佐藤多佳子作）、『龍使《りゅうつか》いのキアス』（浜たかや作）、『選ばなかった冒険』（岡田淳作）といった最近の日本の作品などいろいろありました。

そのなかで、男の子七人が選んだのが「ズッコケ三人組シリーズ」なのです。『ズッコケ山賊修業中』が二人、『うわさのズッコケ株式会社』、『ズッコケ恐怖体験』、『ズッコケ文化祭事件』、『ズッコケ愛の動物記』、『とびだせズッコケ事件記者』が一人ずつです。

ぼくの勤《つと》めている小学校の図書室には「ズッコケ三人組シリーズ」がだいたいそろっていますが、どの本も傷《いた》みがはげしいのです。つまり、それだけ読まれているのです。子どもたちは新しいきれいな本も好きですが、傷んでいても「読みたくなる本」は読むのですね。

ところでいくら人気のある「ズッコケ三人組シリーズ」といっても、長編小説を読むのは初めてという子どもです。読むのはかなり苦労《くろう》していました。おまけに「あらすじと感想」も書くのですから、七人とも「ミドリ市、花山第二小学校、奥田三吉＝モーちゃん、山中正太郎＝ハカセ、八谷良平＝ハチベエ」とメモをとったあとがなかなか続きません。

が、どうにかこうにか感想文を書きあげた六人は「はじめのほうを読むのがたいへんで時間がかかったけど、とちゅうからはどんどん読めた。早く最後まで読みたくなったから家でも読んだ」と同じように書いているのです。

これはたぶん読書するひとの正直《しょうじき》な感想だとぼくは思うのです。世の中にはよく、

「最初から物語のなかにひきずりこまれる」などという本の宣伝文句《せんでんもんく》があります。でも、あれは本当ではないのです。どんな物語でも、その物語が描いている世界、その作家の文章の特徴《とくちょう》やくせに慣《な》れたり、わかってくるまでは、物語はあまりおもしろくないのです。それなのにいつの間《ま》にか物語の世界にはいってしまい、自分も登場人物の一人になって、ドキドキしたり、うれしくなったり、泣きたくなってしまう。これが読書だし、映画を見るということだし、音楽を聴《き》くということなのです。

クラスの子どもたちの「あらすじと感想文」のできあがりにあわせて、ぼくも「ズッコケ三人組シリーズ」を何冊《さつ》か読みなおしました。そして、このシリーズの作家の那須正幹さんの物語に誘《さそ》いこむ話術《わじゅつ》とワナのたくみさにあらためて、「うまいなあ」と思いました。

たとえば、この『参上！ ズッコケ忍者軍団』を読んでみましょう。まず、表紙《ひょうし》です。ぼくたちがテレビやマンガで見慣《みな》れている忍者姿《にんじゃすがた》の三人が描いてあります。が、物語のほうは夏休みの子どもの遊びの説明《せつめい》からです。三人組とは別の二人が昆虫採集《こんちゅうさいしゅう》にいくと、モデルガンや迷彩服《めいさいふく》で〝武装《ぶそう》〟したグループがでてきます。彼らはドラゴン部隊と名乗り、秘密基地《ひみつきち》をつくっていたのです。

この始まりのところでは、三人組はいつでてくるのかな、モデルガンと忍者姿《にんじゃすがた》が結びつくのかなと、ぼくたちはこの物語のなかにはまだはいっていきません。

でも、三人組が後輩《こうはい》のために文句《もんく》を言いにいき、あっけなく追い返されたあたりから、三人組に味方《みかた》をしたくなりませんか。すんなりいかないところが、実は作家が読者をひきこむワナなのです。

そして、ぼくたちは「ズッコケ三人組シリーズ」のほかの作品を読んだときと同じように、そのワナにはまるのがおもしろくなるのです。そして、三人組がいつ忍者になるのか、忍者になる訓練《くんれん》はどうするのか、ぼくも忍者になる訓練をしたいなあなどと思うから、「とちゅうからは、どんどん読め」るのです。

そして、もう一つ。ぼくは小学校の先生くさい〈解説〉を書きましたが、この物語には、「武器《ぶき》を持って集団のけんかなど、暴力事件《ぼうりょくじけん》だ」などとあわてふためく教師はでてきません。この教育くささのないところが、この「ズッコケ三人組シリーズ」の人気の秘密《ひみつ》だと、ぼくは思います。

収録作品について

「参上！　ズッコケ忍者軍団」　新・こども文学館・37
ポプラ社(1993・12.刊)

1999年4月　初版発行

ズッコケ文庫・Z-28
参上！　ズッコケ忍者軍団

著　者　那須正幹
原　画　前川かずお
作　画　高橋信也
監　修《キャラクター》　前川澄枝
発行者　坂井宏先
発行所　株式会社ポプラ社
東京都新宿区須賀町5・〒160-8565
振替　00140-3-149271
電話〔営業〕03-3357-2213　〔編集〕03-3357-2216
〔受注センター〕03-3357-2211
FAX〔ご注文〕03-3359-2359
インターネットホームページ http://www.poplar.co.jp
印刷所　瞬報社写真印刷株式会社
製本所　大和製本株式会社
Designed by Tomohisa Umano

ISBN4-591-06068-3 N.D.C.913/206p/18cm

ポプラ社文庫を座右におくる

日本の出版文化数百年の歴史からみて、今日ほど児童図書出版の世界が、あらゆる分野にわたって絢爛をきわめ、豪華を競っている時代はない。多くの先人が、営々として築きあげた児童文化の基盤に、後進の新鋭が、新しい魂の所産を孜々として積み上げてきた、その努力の結果がいま美しく開花しつつあるといってよいと思う。反面、自由な出版市場に溢れる児童図書の洪水は、流通の分野で混乱をおこし、読者の立場からいえば、欲しい本が手に入らないという変則現象を惹きおこすことになった。加えてオイルショックに始まった諸物価の高騰は、当然出版物の原価に跳ね返り、定価の騰貴をよび、読者を本の世界から遠ざけるマイナスを招いてしまった。

ポプラ社は昭和二十二年以来、数千点に及ぶ児童図書を世におくり、この道一筋の歩みをつづけて来た。幸い流通市場の強力な支援をうけ、また製作部門のささえもあって、経済界の激動を直に読者へ転嫁しない方策を講じて来たつもりである。しかし三十年の出版活動の中に生んだ、世評の高い諸作品が、ややもすれば読者の手に届かない欠陥のあることを憂い、ここに文庫の形式をとり、選ばれた名作を、更に読みやすく、廉価版として読者の座右におくることにした。この文庫の特長は、児童図書の一分野に企画を留めず、創作文学、名作文学、少女文学等、幅の広い作品を紹介し、多くの読者に、本に親しむ楽しさを堪能してもらうところにおいた。ご批判と、変わらぬご愛顧をたまわれば幸いである。

（一九七六年十一月）